Ohad Meromi

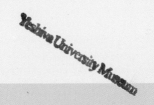

Avner (James) Ben-Gal

1 : Joint פרק Avivit

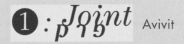

The Israel Museum, Jerusalem

"Joint" 1:
Avivit

Billy Rose Pavilion
Spring 1995

Exhibition
Curator-in-charge: Yigal Zalmona
Guest curator: Sarit Shapira
Assistant to the curators: Roy Proshan

Catalogue
Editor: Sarit Shapira
Design & production: Danny Goldberg
Text editing: Daphna Raz
English translation and assistance to editor: Timna Seligman
English editing: Evelyn Katrak
Photography © The Israel Museum, Jerusalem

Color separations: A.R. Printing Ltd.
Printed by: Kal Printing Ltd.

Catalogue no. 461
ISBN 965-278-285-8
© The Israel Museum, Jerusalem, 2002
All rights reserved

Pagination follows the Hebrew order, from right to left.

The exhibition courtesy of the Ministry of Science, Culture and Sport, the Culture Administration, and the National Council of Culture and Art – Visual Arts Section.

The catalogue was made possible by Genesis Partners Ltd., Tel Aviv; Hightouch Ltd., Herzliya Pituach; The Edith and Ferdinand Porjes Charitable Trust Publication Series; The Association of Israeli Friends of the Israel Museum; and an anonymous donation.

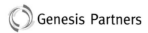

Director's Foreword

With the opening of *Avivit* in April 1995, the Israel Museum embarked on what would prove to be a rich and innovative series of exhibitions by young, mainly Israeli, artists: *Joint*. This first exhibition, which featured Ohad Meromi and Avner (James) Ben-Gal, generated great interest, both locally and internationally. We were therefore encouraged to see *Joint* as an open-ended series, gaining meaning with each additional project and reflecting our commitment to a young and talented generation of Israeli artists. Over time, the series' impact on artistic discourse in Israel has been considerable, and we have therefore decided to publish – in retrospect – catalogues of the *Joint* exhibitions that were mounted at the Museum over the past seven years, beginning with *Avivit*. We see this publication as the first in that series, a new project grounded in the documentation of four exhibitions presented between 1995 and 2001 in our Museum.

We wish to begin by thanking Ohad Meromi and Avner Ben-Gal for their dedicated participation in the realization of the series' inaugural exhibition, *Avivit*, and now of this catalogue. For their essential support in realizing the exhibition, we are grateful to the Ministry of Science, Culture and Sport, the Culture Administration, and the National Council of Culture and Art – Visual Arts Section. Additional support for the publication of this catalogue, which documents for the future the achievement of the exhibition, was most generously provided by Genesis Partners Ltd., Tel Aviv; Hightouch Ltd., Herzliya Pituach; The Edith and Ferdinand Porjes Charitable Trust Publication Series; The Association of Israeli Friends of the Israel Museum; and an anonymous donation.

Finally our thanks go to Sarit Shapira, Curator of the David Orgler Department of Israel Art, and to Yigal Zalmona, Chief Curator-at-large, co-curators of *Avivit*, who also envisioned at that time the series that would follow; and to the many members of the Museum staff who played a role in the realization of the exhibition and in the preparation of this catalogue.

James S. Snyder
Anne and Jerome Fisher Director

Foreword

This catalogue is one of the publications documenting the *Joint* (*Perek*) exhibition series. The aim of the series is to provide a showcase for a new generation of Israeli artists, thus continuing the Israel Museum's traditional commitment to exhibit the work of young artists – a tradition that began with the Museum's foundation in 1965. Linking the terms "tradition" and "young energy" may seem strange, but it seems to me that this contradiction epitomizes the uniqueness of the Israel Museum, its way of spanning the material cultures of previous generations since the dawn of human history, of combining universally sanctified mythological objects with the marvel, danger, doubt, subversity, and curiosity that characterize contemporary activity. I know of few other museums in the world that offer this totality.

The "*Avivit*" catalogue documents an exhibition that took place at the Museum seven years ago. Its late publication is testimony to our commitment to preserve, even though after the fact, the course of the museum's activity. Strange to compose a foreword for the catalogue of an exhibition long since past. To "introduce" something that is no longer going out on a limb, to use words and thoughts that have now congealed – some of which were then "hot" and seemed to manifest that time – to imbue them with the awareness of hindsight. It could be said that the works of the "*Avivit*" artists, and of subsequent *Joint* exhibitions, have come to acquire sociological value. Participants who at the time had the status of "young artists" – promising, intriguing – have since moved closer to the center stage of Israeli artistic activity and are today counted among its principal protagonists.

The catalogues of past *Joint* exhibitions, and those that will accompany future ones in the series, present a generation of creators – the generation spanning the 1990s and into the new century. This is an energized generation, full of anger – an anger that is not bitter, but positive – a generation that knows how to turn the fragile, the vulnerable, the common, the faltering, the transient, the marginal, the otherness of artistic creativity, into a source of power and a springboard for non-verbal communication with the world. An outstanding characteristic of their art is the emphasis on the artist's interaction with and in opposition to the exhibition space – a space that is not a mere given, but is highly charged. What is, for an artist, more charged than the museum space?

The Billy Rose Pavilion of the Israel Museum, the site of a number of the *Joint* exhibitions, holds 35 years of accumulated memories in the field of contemporary art, both Israeli and international. Its walls are not neutral. An important part of the story of Israeli modernism took place within them.

The "*Avivit*" artists, like many who have exhibited in other *Joint* exhibitions, are concerned with the concept of the home. The museum too is a home – not necessarily as metaphor or parable, not as a chapter in some kind of *histoire morale*, and not from a hypocritical stance ("I'm on the outside, but on the inside as well"), but from a need to relate to the museum as an environment, and to the artistic activity as an integral process that assimilates the components of its surroundings as an essential part of its metabolism. The surroundings permeate the body of the work, and the work wallows in and burrows into the surroundings – feeding off them, taking from them, planting markers within them (Avner [James] Ben-Gal, for example, writes and draws on the Museum walls). The work pollutes the surroundings and cleaves to them, like a cancer to a living organism. The museum is, of course, an environment that transmit necessarily, or always, the natural one for art. Sometimes the surroundings exploit the artistic work, even opposing or doing violence to it (by cutting it off from its "natural" environment, freezing it, or insisting on crowning it with a halo).

The *Joint* artists design their works through dealing with the museal environment in its widest sense; they gauge its power, test its boundaries, crowd themselves into its memory, tempt it, and draw strength from it – even when the strengthening relies on the poetics of parasitism and vulnerability. Many of the works in this, the first *Joint* exhibition, had a childlike, seemingly innocent character, reminiscent of the "Sorcerer's Apprentice." Could it be that the apprentice is to the sorcerer (the father) what the "storyteller" – a widespread concept in today's cultural discourse – is to the writer of great narratives? But that is a subject for a different discussion.

Yigal Zalmona
Chief Curator-at-large

1 > Ohad Meromi, Avner (James) Ben-Gal, **Avivit**, 1995 (detail)
אוהד מרומי, אבנר (ג'יימס) בן־גל, **אביבית**, 1995 (פרט)

2 > Avner (James) Ben-Gal, **The Slow to Catch On**, 1994, from the installation **An Ethiopian's Birthday**, Museum of Israeli Art, Ramat Gan
אבנר (ג'יימס) בן־גל, **קשה התפיסה**, 1994, מתוך ההצבה **יום־הולדת לאתיופי**, מוזיאון לאמנות ישראלית, רמת־גן

5 > Avner (James) Ben-Gal, **Cripple**, 1997, felt-tip marker on paper, 29.7 x 21 cm.
אבנר (ג'יימס) בן־גל, **נכָה**, 1997, טוש על נייר, 29.7 x 21 ס"מ

6 > Avner (James) Ben-Gal, **Proposal for Serving Bananas**, 1994, from the installation **An Ethiopian's Birthday**, Museum of Israeli Art, Ramat Gan
אבנר (ג'יימס) בן־גל, **הצעה להגשת בננות**, 1994, מתוך ההצבה **יום־הולדת לאתיופי**, מוזיאון לאמנות ישראלית, רמת־גן

1 >

3 > Avner (James) Ben-Gal, **Monkey with Letter**, 1997, acrylic on canvas, 140 x 160 cm., collection of The Israel Museum, Jerusalem
אבנר (ג'יימס) בן־גל, **קופה עם מכתב**, 1997, אקריליק על בד, 140 x 160 ס"מ, אוסף מוזיאון ישראל, ירושלים

4 > Avner (James) Ben-Gal, **Eve of Destruction II**, 2000, acrylic on canvas, 65 x 90 cm., collection of Baruch Halpert, Tel Aviv
אבנר (ג'יימס) בן־גל, **ערב החורבן II**, 2000, אקריליק על בד, 65 x 90 ס"מ, אוסף ברוך הלפרט, תל־אביב

7 > Avner (James) Ben-Gal, **Light Fixture Work** for the exhibition "Design",1997, Beit Berl College - School of Art, Kalamania
אבנר (ג'יימס) בן־גל, **עבודת תאורה** לתערוכה "עיצוב", 1997, הגלריה של המדרשה לאמנות, קלמניה

8 > Avner (James) Ben-Gal, **An Ethiopian's Birthday**, 1994, installation view, Museum of Israeli Art, Ramat Gan
אבנר (ג'יימס) בן־גל, **יום־הולדת לאתיופי**, 1994, מראה הצבה במוזיאון לאמנות ישראלית, רמת־גן

Avivit,
or Half-Open Plastic Shutters

Sarit Shapira

Plastic shutters opened halfway. A toy cat and a piglet peeking out. From inside, slow techno music from a videotape breaks through. From outside, the quiet squeaks of the orange "grasshoppers"* can be heard. The "grasshoppers" outside, the cat and the piglet inside. When the shutters are opened halfway the quiet is disturbed a little, or perhaps the noise is slightly weakened. When the shutters are opened halfway, the "grasshoppers" outside are orange stains, equipment, or mechanical toys becoming the things of paintings – and inside there are striped green-yellow chairs, a large wheel shown on an old TV screen, modular furniture that looks like a kindergarten activity corner. This kindergarten space is *Avivit* – a joint installation by Avner (James) Ben-Gal and Ohad Meromi – it is also the opening point for the exhibition "*Avivit*", where both artists exhibit individual works.

The work *Avivit* is an observation/peeking point of the Museum: from there the cat and the piglet sneak a look at it. Those that peek from within and into the Museum are animals, toys, cheap statues that reflect the home – statues that are toys that are animals – they are the conduit of the sense of home for the statues in the Museum. As "museum" objects, they are voyeurs/observers of the viewer from within *Avivit* – and the viewer can join the cat and the piglet by assuming the viewing position inside the half-open plastic shutters. They can choose the boundary mark at the edge of the Museum as part of their visit/viewing of the Museum, and as observation/voyeurism of the viewing inside it.

Avivit is reminiscent of a tenement block balcony, closed in by shutters to expand its limited space – an additional room, an extra area for play, study, or work. *Avivit*, the

ex-balcony, is a space designed to expand the inside of the apartment and connect it to the outside. Later, when the plastic shutters are closed and the space is defined as a room, this space is supposed to imbue the inside with a balcony-like sense of interior/exterior. Likewise, the space of *Avivit* inside the Museum is an "additional room." The lines of definition and the boundary of this additional room are the standard shutters manufactured by the aluminum industry and copied for domestic use. They therefore open only halfway, not only onto the actual Museum exhibition space but also onto the "museum without walls" (André Malraux), onto all artistic activity taking place "on the museum's ruins" (Douglas Crimp), and in the "expanded field" (Rosalind Krauss). But in *Avivit* the industrial plastic shutters not only half-open the space, they also half-close it, so through them this interior/exterior is pulled inside. Within the "expanded field," the half-closed plastic shutters define an extra room, closed off, turning its back, and diminishing the jurisdiction of this field.

In the substantive space of the Museum, *Avivit* delineates a corner randomly cut off from the rest of the exhibition space. This extra room – a sort of "Doll's House" (Ibsen), or a variation of the intimate corners painted by the Nabi – opens onto the cultural-artistic field while at the same time turning its back on it. Both the world and its reflexive critique are seen here as "back-turned feeling", from an internal intuition connected to a different diagnosis of situations, an awareness of other situations.

Spread around the space of *Avivit* are sketches and objects, a seismography of heat and innocence in an improvised children's room. In the room is a black-and-white television with a fairground on the screen, and from this room, spread throughout the rest of the

exhibition space, are additional large toys similar to Meromi's "grasshoppers", as well as other "play corners" and "animal corners" by Ben-Gal. Ben-Gal's objects are randomly

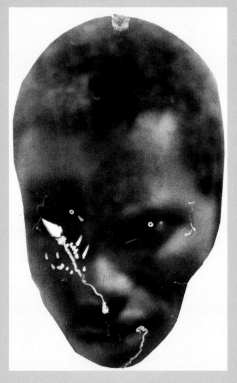

< 2

scattered around the space, like a plot whose logical development cannot be followed. As more and more fragments of a world such as this join some plot being woven in the space, so the feeling of fragmentation of that world grows – it simultaneously develops and is re-formed around the principles of deviation from the norm, abnormalities and mutations.

More precisely, Meromi's structures belong to the chronicle of modern art: the Israeli villas in his photographs all have an affinity with the International Style; the orange "grasshoppers" are called *Sketch for a Socialist Ballet*; the twisted construction of aluminum sheets is titled *Traveling*

Exhibition; all are connected to the worldview and forms of action of such movements as the Bauhaus or Constructivism. However, in the villas of Ramat HaSharon, the International Style is translated into a provincial language with superficial solutions of stylization, as if the "grasshoppers" or the aluminum construction corrupt the Constructivism or Bauhaus, from severe design connected to a clear ethos to "weak" design that only loosely relates to the external signifiers of some style. This trend serves to increase the formalism of given formalist trends, thus making more extreme their emptiness, their indexical status, and their distancing from any essential core – characteristics that are anyway identified with the formalistic approach. Also in *Avivit*, a pile of prints with an almost nonsensical text – random sentences taken from a secretarial manual (Ben-Gal and Meromi's version of Duchamp's *Eight Years of Swimming Lessons*) – imparts an atmosphere of mechanical exercise. Nevertheless, Ben-Gal and Meromi's actions could be understood as a link in the chain of avant-garde activities that aim to empty the forms of representation of the center, specifically via the phrasing of its relationship to expressions of the degeneration and marginalization of the avant-garde.

But Ben-Gal and Meromi work within an awareness of, and reaction to, the way the contemporary discourse has turned the borderline case – the "scapegoats" (Rene Gerard) that represent the most eccentric edges of cultural territory – into a new linguistic consensus, into images and phrases of otherness. All set formulization of otherness is in effect a lack of understanding of the activation code of otherness in the avant-garde. Those codes were created as

purely strategic means; their purpose was to release every known formula or form, and it is therefore impossible to reconstruct or use them as an index, as a predefined sign of otherness. This same failure is also found in

< 3

the modes of mapping groups of markings of otherness, of alternative spaces. These spaces, which tried to travel outside of and between defined exhibition spaces, were actually recycled and eventually institutionalized, thus setting the areas around them as an additional genre and as a new "look" of exhibiting.

It is through this clear vision that Ben-Gal and Meromi try to find the way back to the ambitious project of Modernism; to the simplification and abstraction that substantialized otherness as the fragmentation of any given image or form – the raising of that which is absurd and wondrous in a form and which acts as anti-form, a formal figure that cannot be accepted as a form. Within the framework of the cautious return to Modernism they also return to one of its ivory towers – the museum – though with a dubious grasp of it, with an understanding of contemporary art that every image, phrase, and EXtreme, EXternal, and EXcentric space is no longer outside the center.

The other space is discovered within the museum, in its extra room, in its forgotten chambers – the same potential space, potent and ancient, whose discovery and use is possible only after the ivory tower is emptied of meta-meanings. Within it they plant figures of otherness, taken precisely from unexpected places – the gray sites of the negligible average incident, the statistical profile, where all things lack noticeable signs and attributes, the abstract, lodge. So it is with *Avivit*, reminiscent of an apartment in a tenement block, the average of sampled living standards without the misery and ridicule of the average statistic and almost without pretense to be something else. Within the culture of the politically correct discourse, which has turned the borderline case into a reference of correct speech, Meromi prefers the bland and indistinguishable photographs of suburban villas to other images: those of tent settlements (ma'abarot) and immigrant neighborhoods of the past, those of refugee camps and development towns, those of the high-rises of the metropolis.

Even so, the suburban villas, hugging the ground, represent a certain level of comfort and standard of living. These buildings – precisely because of their "weak" provincial connection to the central canons of Modernist architecture – are seen less as expressions of architectural style and more as a style of housing. With many of the villas photographed from the back, the clear identifying marks disappear, the house's facade is replaced by its rear, and the representation retreats in favor of the "back feeling," which thus absorbs the warmth and intimacy, the homely atmosphere embedded within the suburban villa's average appearance. In contrast, the external feeling brought inside glows from the closed plastic shutters of the closed balcony.

In the exhibition space, Ben-Gal built, in addition to *Avivit*, more half-closed cells – private images of something such as a petting corner or a sixties-style teenager's room. These pockets of space pull into them a sense of possible intimacy, of individual space, and they therefore add extra value to the average case, color to the gray statistical profile. The possibility of a private reality and garish character – having both the colorfulness of design and something of the attributes of the "wild" Fauvist colors, like the regular effectiveness of color in an industrial factory (which could be called "*Avivit*"), as well as some sort of Dionysian springtime colorfulness – charges the space with various powers while also weakening these same powers. This is a very low level of charging, a strengthening of a power from within and after the weakening, a cyclical strengthening and a weakening. The average is charged by the power of that which is different – different but not unusual enough to become an exemplary case, a symptom, a clear condition.

It could be that as a result of the difficulty and the folly of trying to identify that which has not been grasped and formulated by the hunters of otherness, the "grasshoppers" – the figures of Meromi's *Sketch for a Socialist Ballet* – fidget in a manner maybe comical, maybe senseless. Every corner built by Ben-Gal looks like an unsuccessful attempt to coach the "slow to catch on" – a figure from his earlier works, here hidden behind one of the walls, as if in his own house, with the gormless features of a newspaper cutout. Ben-Gal defines this figure as "slightly dull-witted, more slow to catch on than retarded." The slowness of the figure is a twisted thematization of the clear vision of "*Avivit*", of its sarcasm, of the way it belongs to and makes critical use of common norms of rhetoric. This blend of belonging and

resistance signifies an awareness of the decadence (Post-Modernism) of Modernism and the avant-garde, of a vision of the combination of art, industry, and design, of the strange alchemy of synthetic products. But much more than the edge of the degeneration of processes, the "slow to catch on" signifies a limited intelligence, one that

These are utopias and visions that have already been proven beyond reach – yet they are still invested with power, power that comes from the delay of those same historical moments through their slow and self-aware scrutiny. The movement of *"Avivit"* is an unhurried, almost degenerate scan of the almost degenerated zones – lost

< 4

is liable to be used as the starting point for an optimistic dimension of work, the development of a new awareness – an awareness connected to the code of slowness characterized by the figure.

In this area of awareness of slowed processes, it is perhaps possible to suspend the moment – and to delay the mutation of the moment – where movements such as the Bauhaus and Constructivism set a utopian halo around the fusion of art and technology. In the same area of delayed historical processes can be found the vision of the sixties and of the flower children, for whom the colored plastic aesthetic of the orgiastic bacchanalia contained their rites of spring.

utopias submerged in the living/hiding areas of the average occurrence.

The "slow to catch on", the photographs of wheelchairs making a strange mobile, or Ben-Gal's reduced-speed electronic music signify a new breed of images that do not belong to the medium, discipline, genre, style, historical context – yet at the same time definitely could connect to all of the above. For the observer of these images, they appear to utilize data from the visual language bank (or their fragments and shards) as ready-mades, as a means of passage to other subjects and places that are abstract, not formal, not linguistic, not defined. They are similar to so many familiar images and

yet they are slightly different – and this slight otherness, hint of anomaly, can be ascertained and formulated only through a precise visual knowledge of each and every detail. This small diversion – the multiplication of mutations the moment before they become codes – is the mantra of *"Avivit."*

5 >

Meromi's references to Bauhaus and Constructivism do not reveal the exposure of the structural code or the retrospective analysis of the utopian movements; these are but markers directing to the non-topus, the no-place, the clear signs of the zone that is still code-free where *"Avivit"* takes place. Even the figure of the "slow to catch on", the photographs of wheelchairs, the slowed electronic music, the play corner, the animals peeping through the slits of *Avivit*, do not create a full thematization of the awareness they imply. They are only coordinates that plot other forms of absorption through a familiar language, that

are understood as arrows pointing to an awareness that cannot be marked by them, like road signs bringing about a reduction in speed, "childliness," and a new animalness.

The Museum was also once a place of an interior with a differently coded exterior, and then the Avivit balcony was added on – the Billy Rose Pavilion – which opened/extended it outward. Later the balcony was closed in, and now, once again, through the half-open plastic shutters, the Museum turns to the outside. The Museum's additional room opens to a limited extent, without any ulterior motive or ideology. It takes only the act of installing the shutters in the Museum's additional room to open it up to the light, so that the layers of masks can be slowly peeled away, and the visual communication of blindness and being dazzled can be calmly waived, in order to return and identify the other place, the no-place, the utopia, as light.

* A structure similar to that of the grasshopper engine, defined thus in the Webster's New Universal Unabridged Dictionary (Dorset and Baber, 1983) as Grasshopper engine: A steam engine having a walking beam with the fulcrum at one ends and the piston rod at the other, its form suggesting a huge grasshopper.

What Is There But Failure?

Bart De Baere

Beginning with daily life, the contents of the vessels are poured out; by being emptied they are formed, and the image of purity could emerge from their creation. From the chiaroscuro of daily life comes the light, the light is projected from the cave, and thence could be the source.

The concept of the museum is an idealist construction. It is a utopia striving to become real. The objects and their observers are drawn into its belief that this is the best place for the objects to be. The Arabic coffeepot is transcended from the fact of its belly becoming hot now and then; the altarpiece is taken out of near-darkness and made visible as an aesthetic construction with meaningful iconographic references; the painting of School A is aligned with the painting of Atmosphere 34. Works of fine art that hang in the spot for which they were conceived offer a self-evident approach in which the passerby, the context, and the work can merge into one another. The museum, as it functions, is an in-between state beyond daily experience. It is based on potentiality; this and this and this, if granted different conditions – more time for example than the accumulative construction of the museum suggests – would have all-encompassing meaning. That level of meaning can certainly be reached inside the museum, although in most cases only through a loss of context, by the observer becoming trapped in his observations, losing his sense of distance, and with that loss of distance also losing the museum.

What is there but failure? This thought at first seems incompatible with the concept of the museum. But failure is the quality that permeates everything. This is certainly so for points of view that formulate a desire for magnificent silence (the surpassing of order) by creating an image of a higher order –

images formed by stretching that desire to an unbearable tension, images that let the desire become real in the tension between itself and the real.

6 >

Museums fail in a most astonishing way. They place beautiful Arabic coffeepots behind glass to be looked at. They amass objects that need time, space, and usage, rendering them utterly unusable. They replace the intensity of many complexities – stories, thoughts, attitudes toward the world – with a common denominator that is merely stepfather to the energies they started with (artistic energy comes about in specificity, not within an artistic framework). They retain the potentiality they believe in but only in a continuous state of potentiality. And since they are institutions, they are also under a continuous threat of losing track of that potentiality.

"Failure" is a word that makes the museum shiver, because of its function. The museum's way of being is essentially order, the overcoming of the unreconcilability of qualities. By its very nature, it tends to reject anything that is perceived as incompatible. In consequence, it tends to be hostile to everything that is on the verge of becoming; for there is "failure" in the shadow that casts its light on the proper character of shape. Perception needs time to

appreciate this mix. Initially it can see only deviation. In an idealist construction the present is at first unavoidably demonized.

If failure were to be taken for granted (which is merely a mental switch), other objectives might become attainable. It might become possible to aspire to a profound relation between things-that-cannot-merge – a relationship based on a multitude of relations of which none is either completely realized or completely true – instead of opting for a restricted number of concordances that form ordering principles and as such claim predominance. It might become possible to let things flow into one another, finding out how the spillage of one proposal into another articulates formerly unconsidered aspects. It might become possible to deal with things without having any of the techniques for highlighting – the frame, the base, the void, the placing in the center, the concentration into a fist, the optic blow-up. It might become possible to include gestures that by their nature do not seem to have the endurance to reach the general public one believes art should have. It might become possible to envisage every artifact in the museum as a loss out of which different aspects can temporarily reemerge or at least shimmer in the shadows of the mode of presentation. It would become possible, after loss of the upbeat communication that punctuates the whole museum, to have as a goal specific experiences for specific people, instead of the generalization that may be defended as a message conveyed to everyone. It would become possible to love and enjoy the impossibility of finishing anything, to turn the world of the museum into a continuous challenge in which the height of any object, the light on any object, the frame of thoughts in which it is contained, is there as a provisional choice that experiences its seriousness by being open to change.

The idea of failure may be a simple but effective instrument for any museum, not only for passive reflection on what its intrinsic goals are and to what degree they are distorted or sidelined by questions of survival, but also as an icebreaker for action. By considering the failure to remain being what-it-is / is-supposed-to-be, the museum may abolish itself and thus continue to exist. Accepting failure as a central given for the museum would be something akin to replacing the option of the debate by the option of the conversation, many types of results would be lost, but others would appear.

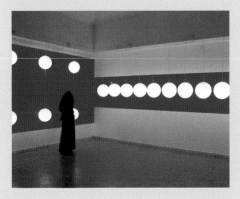

The series of exhibitions at the Israel Museum resembles an oasis of presence. When exhibitions like these are accepted in a museum like this, an interesting friction surfaces. By localizing them in the Billy Rose Pavilion – an attachment to the main construction – their status is unclear. Is it an engagement or an experiment? Is it a sideshow or a preparation in the cellars of the future museum? In any case, there is more than a door, it is a border one goes through when entering the pavilion. The atmosphere of the museum falls away and another atmosphere has to be tested and validated. Not only is it unclear how the two relate, it is also unclear how they can relate.

In a harmonious way they deal with relations. They avoid the splendid isolation of the one-man show by choosing groupings of two, a size of group in which a non-random merger of options can happen. In avoiding the negotiation of a social-spatial structure, these exhibitions offer the museum a completely different challenge. By being occupied with their harmonious creation, they don't deal with failure in relation to the museum. They envisage their proposition as a relative (it being different from what is already in position) but necessary one. They are overwhelmed by their development, so that in it the possibility of the future and the awareness of the past merge. They are present because they feel intensely linked to both – which implies, since the future is yet to come, that they are open to change.

In these artists, and in many of their contemporaries, there is something uncannily natural that makes them seemingly hard to deal with. They are akin to daily life because they offer a consistent, not accumulative, quality that doesn't categorically distinguish its presence from, say, the texture of the walls. The artists would rather deal with all those aspects of the environment that might be called banal, would rather take them into account and thus fade into them. One can speak about the artists simultaneously in terms of single works and of installations. Even if their development in space is articulate, so that any element might be dealt with as a classical "piece of art," that doesn't interest them. What interests them seems to linger in the air. The elements are not hard facts for their own sake; they are mere tools – material, yes, but denying the solidification of meaningfulness that would let them become objectifiable. They have to be completed, and not by an abstract observer but by an actual visitor.

These artists do not offer the possibility to develop their proposals into statements that can be used as a measure. The first exhibition was titled "*Avivit*", the second "*Grrr*". The titles are only a zone of reference, like the scent of a room, an incentive to do something different, in a different way, in a different place. Their clarity doesn't want to empower itself. It doesn't abbreviate itself so as to be a fist that can stand otherness or even a void, or demand primacy for itself. As such, its borders are fine-tuned, it accepts this vulnerability.

Last year I wrote an article intended mainly to shore up its title, "Modes and Moods." That title stands alone; for how can one, in generalizing terms, verbalize aspects that intrinsically deny categorization, that can be truly approached only by developing experience with them?

> *Beginning with daily life, the contents of the vessels are poured out; by being emptied they are formed, and the image of purity could emerge from their creation. From the chiaroscuro of daily life comes the light, the light is projected from the cave, and thence could be the source.*

These exhibitions are an oasis of presence because they deal with experience. Their basic offer to the museum is their request to join in. The museum can extend that offer and take it as an opportunity – even if the exhibitions are not interested in failure – to consider itself as failing in relation to them.

A project like this offers museums a challenge to extend themselves up to its line, to remodel themselves in an awareness that loses the burden of power they obtained, in which the idealization that is their nature retains the freshness of the desire for proximity that characterized early art history, the age of conoisseurship in

which every structure was perceived as flexible. Last year Eva Meyer pointed out a ground point from which it is possible to start anew time after time: "Now I am quite certain that if a thing is living, there is really no distinction between clarity and confusion."[1] This could be frightening, or joyous – or both, together.

< 8

1. From "A Matter of Folds," a text read by Eva Meyer at the exhibition *This Is the Show and the Show Is Many Things*, curated by Bart De Baere at the Museum of Contemporary Art, Ghent, Belgium, in 1994.

"Avivit," 1996–2001

Ohad Meromi in conversation with
David Fish

"Avivit."
Why did you choose a name like this?

"Avivit", like other things in the exhibition, is something whose contents we reach from the outside. Before we try to represent through the word, we relate to its residue, to distant meanings, to its characteristics of belonging. After that comes the direct command of the name. A word such as *"Avivit"* comes from a halting layer of the language, from a Hebrew whose source is in advertising flyers. We were attracted by the debasement of the positive connotation of the original word *aviv* (spring), which is given the diminutive feminine suffix – it in the same way as products made by local small industry: *magvonit* (baby wipe), *aslonit* (toilet trainer seat), *diborit* (car speaker-phone). It's a feeble name, a name attached to an object that wants to be a commodity but hasn't yet found its place as such, and so it preserves the distorted context of the new Zionist Hebrew. This affinity exists likewise when the original proud high Hebrew, having been revived, is then castrated. This tone – of pressured optimism, of petty progress, of the inherent ruin of the language, of that strata of hybrid creatures of contemporary Hebrew – represents the wider cultural situation of the reality of immanent ruin and the optimistic stupidity that permits enjoyment of this situation. When looked at from this angle, the whole is embodied in a very rich aesthetic. This is the place we wanted to deal with in the exhibition. This is the moment of *"Avivit."*

Did you put these things into words for yourselves at that time?

More or less. It was a beautiful moment of dialogue. We found an angle from which to look at the things around us, and it reloaded everything and enriched the Israeli

surroundings. We wanted an angle that demanded a reading of the local (formal) cacophony as a language, and to learn from it. Together we analyzed many phenomena. At the time it seemed important to bring this into the museum – this type of image, this rawness. We were interested less in the representations and more in the rawness itself. Avner came with a much more nihilist feeling than I did. At the beginning it seemed as if we were on very different tracks of creation: I was trapped in the influence of a few moments in European Modernism, I was looking for complicated theoretical systems in order to deal with the question of progress in art. It was through the overview of local materials that I became interested in the deterioration of Modernism. I became an avid consumer of deteriorated Modernism.

This was the meeting point with Avner. As mentioned, he came with the influences of the more "populist" world and was, as far as I was concerned, braver. Avner spoke of the theatre of Hamas, for example, of their plays of improvised attacks and their effectiveness. Our concern was the possibility of creating a low, troubled image from within the place we felt we occupied – a place where the images have almost no effect if they aren't part of a bombardment, and even then, the technology itself is the effective thing. We drafted a manifesto on home methods (Dogma 95 addresses this). There must be something that can fill the space of the technological bombardment. For Avner this was the beginning of his work with terror and visual violence, such as pornography and right-wing aesthetics (in the exhibition Avner used images of Shoko Asahara, the imprisoned leader of the Aum Supreme Truth cult, who released nerve gas in the Tokyo subway).

Looked at differently, these worlds are the source of the visual and linguistic hybridizations I connected to. I reached

them from thinking about architecture as a basically futuristic medium, from an architectonic thought structure. In architecture there is a discussion about social responsibility, alongside a tendency to analyze systems, and this is also expressed aesthetically. I don't know if this is really the thought structure of an architect – but that is how I then understood my area of activity, and I thought that if architecture weren't so dangerous in practice, in the future I would be active in real public space. Here, in "Avivit," I focused on aspects of the architectonic discourse as a communication medium and as a model for ideas, on a scale of 1:1 (this aspect developed also in my later work). As a starting point we decided to create a joint central work – Avivit – and another group of projects, less conceptually organized, within its periphery.

How do you see these things today?

Look, as far as I'm concerned it was a very important moment, with a lot of blindness about the character of the institution and the system from which we were trying to activate this thing. That moment led also to a lot of sobering up for us. Our interest in the situation – the spoilage of the language and of the world; the pivotal point between health and sickness, the unnatural and erratic state of rawness, in other words, a situation of infinite potential – left us in a territory that has turned out to be not very communicative. In any case it was not what was expected from happy young people entering a serious museological institution. Sometimes dealing with autism is seen as autism, and communication failure fails in this way. (In addition we wanted to keep the modus of what we called "office atmosphere," and the result was general coldness.) It seems to me there's an expectation that young artists will work in an energetic frenzy; thus the populism that arose from the things we chose to

bring to the museum was received with unenthusiastic astonishment. Avner, for example, built a huge wall of perforated metal sheets from shelving systems, and scattered colored paper behind it. The question that came up all the time was, when does it start to be something, when does it become more than the basis for something else. But as far as he was concerned, that was the completed work. He wanted to leave a vacuum in the space, not to fill it up conveniently with images, to sharpen the squeak. He filled the space with materials and then gradually removed them, until there was almost nothing left and the space was once again almost empty – and threatening. What was left was like urban plant life – it was stubborn but lacking glory. There was the figure of the black youth, limited, that Sarit called "half-retarded." He was like a character trapped in this linguistic situation, the prisoner of the faltering rawness.

And your works, how do they connect to the faltering situation you talk about?

Already then, there was the documentary project of the villas in suburban Tel Aviv as hybrids. A series of sixteen photographs, chosen from three hundred, was exhibited. In Israel the infatuation with urban Israeliana and the photographic work in this context has developed a lot since then, climaxing lately in such exhibitions as *Not To Be Looked At* (curator: Sarit Shapira, The Israel Museum, Jerusalem, 1999) and *The Israeli Project* (curator: Zvi Efrat, Tel Aviv Museum of Art, 2001). At the time it was seen more as a preoccupation with the everyday, the banal, and the majority missed precisely this aspect: the great potential buried within the local urban vernacular, the ability to decipher the language in its distorted, corrupted, and hybridized state. Today it is banal to talk of this.

Apart from that there was the *Sketch for a Socialist Ballet*, which simply wanted to be a socialist ballet – an attachment to the good, old work aesthetic. This is also connected to modernity as a whole and to the local and private contexts involved in the background of the Labor movement. I designed three geometric structures that swung between their legs the arm of a miniaturized drilling device. This linked with Zvi Goldstein's influence on my work – but hesitantly; for the structures refused to obey the flow of rhythmic motion, as was supposed to occur in the original genre. I wanted to build an aesthetic of a wheezing but working machine, pathos from the viewpoint of the cripple. A furious critic wrote that the pavilion I built looked like a public urinal in Tel Aviv. That's not a bad definition as far as I'm concerned; I couldn't understand why that was a bad thing.

Can you say something about *Avivit*, the joint work?

Avivit was the most open moment. The creation of an ex-territory within the museum allowed for a different set of working rules. Also the role-play we took upon ourselves, which allowed for contrary action between us, was interesting. Whereas I designed a pseudo-functional "educational" environment, Avner came along with populist elements, like kitschy objects and kids' drawings – things that are hung in office cubicles. The plan was to try to turn a public space into a private one. Avner brought with him a megaphone, which was originally used to shout at people on a street from a window to control the outside from within that ex-territory. The whole space was created as a space that changes its purpose, as in the case of closing in a balcony, or a room that becomes an office or vice-versa. That was the situation we were looking for, a situation of developing a space.

אוהד מרומי

אבנר (ג'ימס) בן-גל

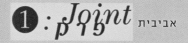

אביבית Joint פרק: 1

מוזיאון ישראל, ירושלים

"פרק" 1:
אביבית

ביתן בילי רוז
אביב 1995

תערוכה
אוצר אחראי: יגאל צלמונה
אוצרת אורחת: שרית שפירא
עוזר לאוצרים: רועי פרושן

קטלוג
עורכת: שרית שפירא
עיצוב והפקה: דני גולדברג
עריכת טקסט: דפנה רז
תרגום לאנגלית ועזרה לעורכת: תמנע זליגמן
צילום © מוזיאון ישראל, ירושלים

הפרדות צבע: ע.ר. הדפסות בע"מ
הדפסה: דפוס קל בע"מ

קטלוג מס' 461
מסת"ב: 965-278-285-8
© מוזיאון ישראל, ירושלים, 2002
כל הזכויות שמורות

התערוכה באדיבות משרד המדע, התרבות והספורט, מינהל
התרבות, המועצה הציבורית לתרבות ואמנות, המדור לאמנות
פלסטית.

הקטלוג ראה אור באדיבות ג'נסיס פרטנרס, תל-אביב; הייטאצ'
בע"מ, הרצליה פיתוח; קרן אדית ופרדיננד פורג'ס, סדרת
פרסומים; אגודת השוחרים והידידים של מוזיאון ישראל; ותרומה
בעילום שם.

Genesis Partners

פתח דבר

התערוכה "אביבית", שנפתחה באפריל 1995, היתה
סנונית ראשונה של "פרק" - סדרת תצוגות של אמנים
צעירים, ישראלים בעיקר. תערוכה ראשונה זו,
שהציגה את אוהד מרומי ואבנר (ג'יימס) בן־גל,
עוררה עניין רב בקרב צופים ומבקרים מהארץ
ומחו"ל, ותגובות אלה עודדו את מוזיאון ישראל
לראות בפרויקט "פרק" סדרה פתוחה, ההולכת
וצוברת משמעות עם כל תצוגה נוספת ומשקפת
את מחויבותנו לדור צעיר ומוכשר זה של אמנים
ישראלים. מאחר ש"אביבית" והתצוגות שבאו אחריה
הותירו חותם ניכר בשיח האמנות המקומי, החלטנו
לחשוף לציבור, בדיעבד, גם את הפן העיוני של
הפעילות האוצרותית ולהוציא לאור את הקטלוגים
של תערוכות "פרק" שהוצגו במוזיאון בשבע השנים
האחרונות. פרסום זה של קטלוג התערוכה "אביבית"
הוא אפוא הראשון בסדרה.

בראש ובראשונה ברצוני להודות לאוהד מרומי ולאבנר
בן־גל, על תרומתם הפעילה והמסורה לכל שלבי
מימושם של התערוכה והקטלוג הראשונים בסדרה. על
התמיכה המשמעותית במימושה של התערוכה ברצוני
להודות למשרד המדע, התרבות והספורט, מינהל
התרבות, ולמועצה הציבורית לתרבות ואמנות, המדור
לאמנות פלסטית. מימון נוסף להפקתו של הקטלוג,
שיישא אל העתיד את הישגיו של מפעל אוצרותי זה,
ניתן באדיבות רבה על־ידי ג'נסיס פרטנרס, תל־אביב;
הייטאצ' בע"מ, הרצליה פיתוח; קרן אדית ופרדיננד
פורג'ס, סדרת פרסומים; אגודת השוחרים והידידים
של מוזיאון ישראל; ותרומה בעילום שם.

לבסוף ברצוני להודות לשרית שפירא, אוצרת המחלקה
לאמנות ישראל ע"ש דוד אורגלר, וליגאל צלמונה,
אוצר ראשי בינתחומי, ששיתפו פעולה באצירת
"אביבית", וכן לרבים אחרים מצוות המוזיאון, שתרמו
מכישוריהם להקמת התערוכה ולהכנת הקטלוג.

ג'יימס סניידר
מנכ"ל ע"ש אן וג'רום פישר

הקדמה

קטלוג זה הוא חלק מרצף פרסומים המתעד את סדרת תערוכות האמנים הצעירים הקרויה "פרק". הסדרה הציגה ותציג דור חדש של אמנים ישראלים, והיא ממשיכה למעשה את מסורת המחויבות של מוזיאון ישראל להצגת יצירתם של יוצרים צעירים, מסורת שהחלה עם היווסדו ב־1965. מעט מוזר לקשור את המושג "מסורת" עם אנרגיות "צעירות", אך נדמה לי שהסתירה הזאת מייצגת את ייחודו הגדול של מוזיאון ישראל: את דרכו לשלב, באופן שהפך לכמעט מובן־מאליו, בין תצוגות ואוספים המקיפים את כל עושר התרבות החומרית של הדורות הקודמים מאז שחר ההיסטוריה האנושית, את כל אותם ערכים מיתולוגיים, מקודשים ומסוכמים - עם חוויות של תהייה, סיכון, ספק, חתרנות וחקירה, המאפיינות את העשייה העכשווית. אינני מכיר מוזיאונים רבים בעולם שמציעים את הטוטאליות הזאת.

הקטלוג הנוכחי מתעד תערוכה שהוצגה במוזיאון לפני שבע שנים, והופעתו המאוחרת מעידה על המחויבות שלנו לשמר, גם אם בדיעבד, את עקבות הפעילות המוזיאלית. משונה לכתוב היום הקדמה לקטלוג של תערוכה שהתקיימה בעבר ולעשות זאת מעמדה שכבר איננה מסתכנת ומהמרת, להשתמש במלים ובחומרי מחשבה שכבר התקרשו - שחלקם היו "חמים" ובעלי אופי של כמו־מניפסט בתקופת התערוכה - ולבזוק עליהם מעט מן המודעות של היום לגבי מה שקרה אז. אפשר לומר שיצירתם של אמני "אביבית" ושל אמני תערוכות "פרק" שבאו אחריה, התעבתה מאז לכלל נפח ערכי וסוציולוגי; משתתפי התערוכות, שנהנו בתקופת הצגתן ממעמד של אמנים צעירים, מבטיחים ומרתקים, התקרבו מאז אל מרכז הבמה של העשייה האמנותית הישראלית, והם נמנים כיום עם הגיבורים המרכזיים של הדרמה הזאת.

הקטלוגים של תערוכות "פרק" מן העבר הקרוב, לצד אלה שילוו את תערוכות ההמשך של הסדרה, מציגים למעשה דור של יוצרים - דור שנות ה־90 ואילך. זהו דור מלא אנרגיה וחדור כעס חיובי ולא מריר, דור שיודע להפוך את השבריריות, הפגיעות, העמימות, העילגות, הנוודיות, הגבוליות והאחרות של העשייה האמנותית למקור כוח ולמנוף של התחברות לא־מילולית אל העולם. אחד המאפיינים המובהקים של אמנותם הוא החשיבות שהיא מקנה לפעולת האמן עם ונגד חלל התצוגה - חלל שאינו רק נתון, אלא גם טעון; ומה טעון יותר, מבחינתו של אמן, מחלל המוזיאון?

ביתן בילי רוז במוזיאון ישראל, ששימש אכסניה לכמה מתערוכות "פרק", צופן זכרונות של 35 שנות פעילות מצטברת בתחום זה של תצוגת אמנות עכשווית, ישראלית ובינלאומית כאחת. קירותיו אינם נייטראליים. חלק חשוב מהביוגראפיה של המודרניזם הישראלי התממש ביניהם.

אמני "אביבית", כמו רבים מהיוצרים שהציגו בתערוכות "פרק" האחרות, עוסקים במושג הבית. הבתים האלה הם גם המוזיאון: לאו־דווקא כמטאפורה וכמשל, לא כפרק במעין histoire morale, וגם לא מעמדה מתחסדת ("אני בחוץ, אבל גם בפנים") או כהצבעה דידקטית - אלא מתוך צורך להתייחס אל המוזיאון כסביבה ואל העשייה האמנותית כפעולה אינטגרטיבית, המטמיעה את מרכיבי הסביבה שבה היא מתקיימת במערכת חילוף החומרים שלה־עצמה. הסביבה מחלחלת לתוך גוף העבודה - והעבודה, מצידה, מתפלשת ומתחפרת בסביבה, יונקת אותה ונשאבת אליה, מטביעה בה סימנים (אבנר [ג'יימס] בן־גל, למשל, כותב ומצייר על קירות המוזיאון), מזהמת אותה ומתחברת אליה כסרטן לאורגניזם. והמוזיאון הוא כמובן סביבה המוליכה ומייצגת כוח, סביבה שאינה בהכרח, או אינה תמיד, טבעית למעשה האמנות. לפעמים היא מנצלת את מעשה האמנות, אפילו מתנגדת לו או מתנהגת אליו באלימות (כשהיא מנתקת אותו מהקשרו ה"טבעי", מקפיאה אותו ומתעקשת לקשור לו הילה).

אמני "פרק" מעצבים את עבודותיהם תוך התמודדות, במובן הרחב ביותר, עם הסביבה המוזיאלית: הם אומדים את כוחה, מנסים את גבולותיה, דוחקים את עצמם לתוך הזיכרון שלה, מפתים אותה, מתחזקים ממנה - גם כאשר ההתחזקות נשענת על פואטיקה של טפילות ושל שבריריות. לחלק גדול מהעבודות שבתערוכות "פרק" הראשונות היה אופי מתיילד וכמו־תמים, שמזכיר את פעולותיו של "שוליית הקוסם". הייתכן שיחסו של "שוליית הקוסם" לקוסם (לאב) מקביל ליחסו של "מספר הסיפורים" - מושג נפוץ כל כך בשיח התרבות של היום - למנסח הנראטיבים הגדולים? אך זה כבר נושא לדיון אחר.

יגאל צלמונה
אוצר ראשי בינתחומי

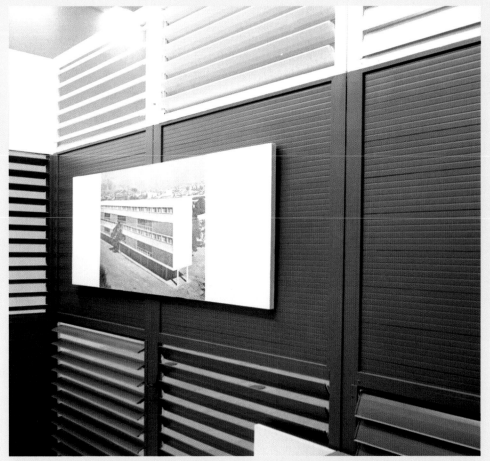

אביבית, או תריסי הפלסטיק הפתוחים למחצה

שרית שפירא

תריסי הפלסטיק פתוחים למחצה. חתול וחזרזיר צעצוע מציצים החוצה. מבפנים בוקעת מוזיקת טכנו מואטת מווידיאו־טייפ. מבחוץ נשמעים קולות חריקה שקטים של ה"חרגולים" הכתומים. ה"חרגולים" בחוץ, החתול והחזרזיר בפנים. כשהתריסים נפתחים למחצה, השקט מופרע קלות או אולי הרעש נחלש מעט. כשהתריסים נפתחים למחצה, ה"חרגולים" שבחוץ הם כתמים כתומים, מכשירים או צעצועים ממונעים המתגלגלים להיות דברים של ציור - ובפנים יש כסאות מפוספסים בירוק־צהוב, גלגל ענק על מסך טלוויזיה ישן, ריהוט מודולארי הנראה כפינת ריכוז בגן ילדים. חלל ה"גן" הזה הוא אביבית - עבודה משותפת של אבנר (ג'יימס) בן־גל ואוהד מרומי - והוא גם עמדת הפתיחה לתערוכה "אביבית", שבה מוצבות עבודות נפרדות של שני האמנים.

העבודה אביבית היא עמדת צפייה־הצצה על המוזיאון: משם החתול והחזרזיר מציצים לעברו. אלה שמציצים מתוך ואל ותוך המוזיאון הם חיות, צעצועים, פסלונים זולים שמקשטים את הבית - פסלים שהם גם צעצועים שהם גם חיות, שדרכם מועברת תחושה של בית אל הפיסול שבמוזיאון. כמוצגים "מוזיאליים" הם מציצים־צופים מתוך אביבית גם על הצופה - והצופה יכול להצטרף אל החתול והחזרזיר, להיכנס לעמדת הצפייה שבתוך תריסי הפלסטיק הפתוחים למחצה, ולבחור באותה תחנת גבול שבקצה המוזיאון כחלק מהביקור־צפייה במוזיאון וכצפייה־הצצה על הצפייה בו.

אביבית מזכירה מרפסת בדירת שיכון, שנסגרה בתריסי פלסטיק כדי להרחיב את חלל הדירה הצר, להוסיף לה חדר, יחידת־בית נוספת למשחק, לימוד או עבודה. כמרפסת לשעבר, אביבית היא חלל שבמקורו נועד להרחיב את הפנים ולחברו עם החוץ; אחר כך, כשנסגר בתריסי פלסטיק והוגדר כחדר נוסף, היה החלל הזה אמור למשוך את הפנים־חוץ המרפסתי הזה אל הפנים. גם בתוך המוזיאון, חלל אביבית הוא "חדר נוסף". קווי ההגדרה והגבול של החדר הנוסף הזה הם תריסי אלומיניום סטנדרטיים, שהותקו משדה הייצור התעשייתי. לכן הם נפתחים למחצה לא רק אל חלל התצוגה הקונקרטי של המוזיאון, אלא גם אל ה"מוזיאון ללא קירות" (אנדרה מלרו), אל כל פעולות האמנות שהתמקמו "על חורבות המוזיאון" (דאגלס קרימפ) ו"בשדה המורחב" (רוזלינד קראוס).

אך באביבית, תריסי הפלסטיק התעשייתיים לא רק פותחים אלא גם סוגרים את החלל למחצה, שכן הפנים־חוץ הזה נמשך באמצעותם אל הפנים. בתוך "השדה המורחב", תריסי הפלסטיק הסגורים למחצה תוחמים חדר נוסף שמסתגר, מצטמצם ומפנה עורף לחוקים של אותו שדה. בחלל הקונקרטי של המוזיאון, אביבית תוחמת פינה שנבצעה בשרירותיות משאר חלל התצוגה. החדר הנוסף הזה - מעין "בית בובות" (איבסן) או גרסה לציור הפינות האינטימיות של ה־Nabis - נפתח אל שדה התרבות־אמנות מתוך

< 2

הפניית עורף אליו. גם העולם וגם הרפלקסיה הביקורתית עליו נתפסים כאן מתוך "תחושת גב", מתוך אינטואיציה פנימית הכרוכה באיבחון אחר של מצבים, בידיעה של סיטואציות אחרות.

בחלל האביבית פזורים שרבוטים וחפצים, כמעין סייסמוגראפיה של חום ותום בחדר ילדות מאולתר. לתוכו נקלט לונה־פארק על מסך טלוויזיה שחור־לבן - וממנו מופצים לשאר חלל התצוגה עוד צעצועים גדולים דמויי "חרגולים" של מרומי, ועוד "פינות משחקים" ו"פינות חי" של בן־גל. הפריטים של בן־גל פרושים בחלל בתפזורת, כעלילה שאי־אפשר לעקוב אחר הגיון השתלשלותה. ככל שיותר ויותר מקטעי עולם כאלה מצטרפים לעלילה כלשהי הנרקמת בחלל, כך גוברת תחושת הפירוק של אותו עולם - ובה־בעת הוא הולך ומורכב־מחדש סביב עקרונות של סטייה מתקן, מומים ומוטציות.

המבנים של מרומי משתייכים ביתר בירור לכרוניקה של האמנות המודרנית: הווילות הישראליות שבתצלומיו מקיימות זיקה לסגנון הבינלאומי; ה"חרגולים" הכתומים המכונים מתווה לבלט סוציאליסטי, או לוחות האלומיניום המרכיבים את קונסטרוקציית העקלתון הקרויה תערוכה נודדת, מרושתים בהשקפות עולם ובדפוסי פעולה של תנועות דוגמת הבאוהאוס או הקונסטרוקטיביזם. אך בגרסה הפרובינציאלית של הווילות ברמת־השרון, הסגנון הבינלאומי מתורגם לפתרונות שטחיים של סיגנון - ואילו ה"חרגולים" או קונסטרוקציית האלומיניום מדרדרים את הקונסטרוקטיביזם או את הבאוהאוס מעיצוב חמור הכרוך באתוס ברור, לעיצוב "חלש" המתייחס באופן רופף לסממנים חיצוניים של סגנון כלשהו. עמדה מעין זו מעצימה למעשה את מידת הפורמליזם של מגמות פורמליסטיות נתונות, ובכך גם מקצינה את ריקונן, את מעמדן האינדקסאלי ואת ההתרחקות מכל גרעין מהותי - תכונות שממילא מאפיינות גישות פורמליסטיות. כך גם באביבית: ערימת תדפיסים של טקסט אווילי לכאורה, המורכב ממשפטים מקריים שנשלפו מספר הדרכה למזכירות (גרסתם של בן־גל ומרומי לשמונה שנות שיעורי שחייה של מרסל דושאן?), משדרת אווירה של תירגול מכניסטי. ועדיין, פעולותיהם של בן־גל ומרומי עשויות להיתפס כחוליה בשרשרת של פעולות האוונגארד, השואפות לרוקן את אופני הייצוג של המרכז תוך ניסוחו דווקא ביחס לביטויי הניוון ומקרי השוליים שלו.

אלא שבן־גל ומרומי פועלים גם מתוך מודעות ותגובה לאופן שבו השיח העכשווי הפך את מקרי הגבול - את ה"שעירים לעזאזל" (רנה ז'יראר), המייצגים את הקצוות האקסצנטריים ביותר של הטריטוריות התרבותיות - לקונצנזוס לשוני חדש, לדימויים ולניסוח של אחרות. כל הצרנה קבועה של אחרות היא למעשה כשל בהבנת צופן ההפעלה של דימויי האחרות באוונגארד; אלה נוצרו כאמצעים אסטרטגיים בלבד, שמטרתם להתיר כל נוסח או צורה מוכרים, ולכן אי־אפשר למחזרם או להשתמש בהם כאינדקס, כסימן מוגדר־מראש של אחרות. אותו כשל מתגלה גם באופני המיפוי של אשכולות סימני האחרות, של החללים האלטרנטיביים. חללים אלה, שביקשו להתנייד מחוץ לחללי תצוגה מוגדרים וביניהם, למעשה מיחזרו ובסופו של דבר מיסדו וקיבעו את אזורי הביניים כז'אנר נוסף וכ"מראֶה" חדש של אופני תצוגה.

דווקא מתוך פיכחון זה מנסים בן־גל ומרומי לאתר דרך חזרה אל הפרויקט השאפתני של המודרניזם - אל

ההפשטה והמופשט המממשים את האחרות כפירוק של כל דימוי וצורה נתונים, המעלים את האבסורד והפלא שבצורה המתפקדת כאנטי־צורה. במסגרת החזרה הזהירה אל המודרניזם הם שבים גם אל אחד מהיכלי השן שלו - המוזיאון - מתוך הבנה מפוכחת לכך שבתנאי האמנות העכשוויים כל דימוי, ניסוח וחלל קיצוני (extreme) חוצני (extern) ואקסצנטרי (excentric) כבר אינו חיצוני למרכז.

את החלל האחר הם מגלים לכן דווקא במוזיאון, בחדר הנוסף שלו, בלשכותיו שכוחות האל - אותו חלל פוטנציאלי, פוטנטי וקמאי, שגילויו וניצולו מתאפשרים רק לאחר שמגדל השן רוקן ממשמעויות־על. בתוכו הן שותלים פיגורות של אחרות, שנשלפו דווקא מהאזורים שבהם לא מצפים למוצאן - האזורים האפורים של מקרי הממוצע הזניח, החתך הסטטיסטי, שבהם שוכנים דברים חסרי סממנים בולטים לעין, נטולי אטריבוט, כלומר מופשטים. כך גם אביבית, המזכירה יחידת־דיור בדירת שיכון - ממוצע של תנאי מגורים, הנדגמים בה ללא העליבות והגיחוך של הנתון הבינוני וכמעט בלי יומרה להיות משהו אחר. בתוך שיח תרבות תקין־פוליטית, שהפך את מקרי הגבול למראי־מקום של הדיבור הנכון - מרומי מעדיף את התצלומים הסתמיים וחסרי הייחוד המעמדי של וילות בפרבר, על פני דימויי המעברות ושיכוני העולים של פעם, על פני מחנות הפליטים ועיירות הפיתוח, על פני מגדלי המטרופולין.

ובכל זאת, הווילות של הפרבר, הקרובות לאדמה, מייצגות נועם כלשהו של איכות חיים. בניינים אלה, דווקא בגלל יחסם הפרובינציאלי ה"חלש" לקאנונים מרכזיים של האדריכלות המודרניסטית, מתממשים פחות כביטויים של סגנון אדריכלי ויותר כסגנון מגורים. חלק גדול מהווילות מצולם מאחור. סממני ההיכר הברורים נעלמים, חזית הבית מוחלפת בירכתיים, והייצוגיות נסוגה לטובת תחושת הגב - שבמקרה זה מופנית לקליטה של החום והאינטימיות, של אווירת הבית הטמונה במראה הממוצע של וילה בפרבר, של תחושת החוץ־הנאסף־אל־הפנים הקורנת ממרפסת סגורה בתריסי פלסטיק.

בנוסף לאביבית בנה בן־גל בחלל התצוגה עוד כיסי תאים סגורים למחצה, דימויים פרטיים למשהו כמו פינת חי או חדר של בן־עשרה בנוסח שנות ה־60. כיסי חלל אלה מנקזים לתוכם תחושה של אינטימיות אפשרית, של חלל אינדיווידואלי, ובכך מקנים ערך מוסף כלשהו למקרה הממוצע, צבע כלשהו לחתך הסטטיסטי האפור. האפשרות של מציאות פרטית ואופיים של הצבעים - שיש בו גם צבעוניות של עיצוב וגם משהו מתכונות הצבע של הפוביזם ה"פראי", גם מהאפקטיביות השגרתית של השימוש בצבע במפעל תעשייתי (שעשוי להיקרא "אביבית") וגם צבעוניות דיוניסית של אביב - מטעינים את החלל בעוצמות ובה־בעת מחלישים את העוצמות האלה; מדובר בהטענה במינון מדוד ונמוך מאוד, בהעצמה העולה מתוך ואחרי החלשה, בהעצמה והחלשה וחוזר חלילה. כל אלה מטעינים את הממוצע בכוחו של השונה, שונה אך לא חריג דיו כדי להפוך למקרה דגם, לסימפטום, לנתון מובהק.

ייתכן שכתוצאה מהקושי וההבלות שבניסיון לזהות את מה שעדיין לא נתפס ונוסח בכליהם של צַיידי האחרות, ה"חרגולים" - דמויות הבלט הסוציאליסטי של מרומי - מקרטעים בתנועה ספק קומית ספק מטומטמת. גם כל פינה שבונה בן־גל נראית כעוד ניסיון לא מוצלח לאמֵן את "קשה התפיסה" - דמות שכבר הופיעה בעבודות קודמות שלו, ובעבודה זו היא מוחבאת מאחורי אחד הקירות, כאילו בביתה־שלה, ונושאת תווי פנים של מגזרת מתמונת עיתון המראה אדם רפה הבעה. בן־גל מגדיר את הדמות הזאת כ"מפגר במקצת, יותר קשה תפיסה מאשר מפגר". הפיגור של הדמות הוא תימטיזציה עקומה לפיכחון של "אביבית", לסרקאזם שלה, לאופן שבו היא גם משתייכת לנורמות רטוריות שגורות וגם עושה בהן שימוש ביקורתי. המיזוג הזה בין השתייכות והתנגדות מסמן את ההכרה בדקדנס (הפוסט־מודרניזם) של תנועות המודרניזם והאוונגארד; בחזון שבשילוב בין אמנות, תעשייה ועיצוב; באלכימיה המשונה של המוצרים הסינתטיים. אך הרבה יותר משהוא מסמן את קצה ניוונם של התהליכים - "קשה התפיסה" מסמן אינטליגנציה מוגבלת, שעשויה להוות נקודת־מוצא למימד האופטימי של העבודה, להתפתחות של תודעה חדשה: תודעה הקשורה לצופן ההאטה המגולם בדמות.

באזור תודעתי זה של תהליכים מואטים, אפשר אולי להשהות את הרגע - ולשהות במוטציה של הרגע - שבו תנועות כמו הבאוהאוס או הקונסטרוקטיביזם הקנו הילה אוטופית לשילוב בין אמנות וטכנולוגיה. באותו אזור של תהליכים היסטוריים מעוכבים, אפשר לאתר גם את המחזות של שנות ה־60 ושל ילדי הפרחים,

שראו באסתטיקת הפלסטיק הצבעונית את הבכחנליה האורגיאסטית, את חגיגת האביב של זמנם. אלה אוטופיות שכבר התגלו כחסרות סיכוי - ועדיין הן עתירות עוצמה, עוצמה שעולה מעיכוב של אותם רגעים היסטוריים תוך סריקה אטית ומודעת שלהם. התנועה של "אביבית" היא סריקה אטית וכמעט מנוונת של האזורים הכמעט מנוונים, של אוטופיות אבודות השקועות באזורי מגוריו־מחבואיו של המקרה הממוצע.

"קשה התפיסה", תצלומים של כסאות גלגלים המרכיבים מובייל משונה, או המוזיקה האלקטרונית המואטת של בן־גל, מסמנים זן חדש של דימויים שאינם שייכים למדיום, דיסציפלינה, ז'אנר, סגנון, הקשר היסטורי - ועם זאת בהחלט עשויים להתקשר

< 3

לכל אלה. למתבונן בדימויים נדמה שהם משתמשים בנתונים (או בשברים ורסיסים) מתוך מאגר השפה החזותית כרדי־מיידס, כאמצעי־מעבר לעניינים ולמקומות אחרים שהם לא־צורניים, לא־לשוניים, לא־מוגדרים, מופשטים. הם דומים לכל כך הרבה דימויים מוכרים ועדיין הם שונים במקצת - ואותה שונוּת קלה, שבריר של סטייה, אפשר לאבחנה ולנסחה אך ורק מתוך ידיעה חזותית מדוקדקת של כל פרט ופרט. הסטייה הקלה הזאת - ריבוי של מוטציות ברגע שלפני התהוותם של צפנים - היא המאנטרה של "אביבית".

איזכורי הבאוהאוס או הקונסטרוקטיביזם על־ידי מרומי אינם מורים על חשיפת הצופן המבני או על ניתוח רטרוספקטיבי של תנועות אוטופיסטיות; אלה רק תמרורים המכוונים אל הלא־טופוס, הלא־מקום; אלה סימניו הברורים של האזור חסר הצופן (עדיין)

שבו מתקיימת "אביבית". אפילו הדמות של "קשה התפיסה", התצלומים של כסאות הגלגלים, המוזיקה האלקטרונית המואטת, פינות המשחקים או החיות המציצות מבעד לחרכים של אביבית, אינם מהווים תימטיזציה מלאה לתודעה המרומזת בהם; הם רק קואורדינאטות הממפות אופני קליטה אחרים באמצעות שפה מוכרת, חצים המפנים לתודעה שאינה ניתנת לסימון על־ידם, תמרורים בדרך המובילה להאטה, ילדותיות וחייתיות חדשה.

גם המוזיאון היה פעם מקום של פנים המובחן מהחוץ האחר, ואז נוספה לו מרפסת אביבית - ביתן בילי רוז - שפתחה־הרחיבה אותו אל החוץ. אחר כך נסגרה המרפסת, וכעת, באמצעות תריסי הפלסטיק הפתוחים

4 >

למחצה, המוזיאון שב ופונה אל החוץ. החדר הנוסף של המוזיאון נפתח במינון מדוד, ללא כל משנה סדורה או אידיאולוגיה. זהו רק אקט של התקנת תריס בחדר הנוסף של המוזיאון כדי לפותחו אחר כך אל האור, כדי לקלף אט־אט גלדי־גלדים של מסכים, כדי לוותר במתינות על תקשורת חזותית של עיוורון או סנוורים, כדי לשוב ולזהות את המקום האחר, את הלא־מקום, את האוטופיה, כאור.

מה כבר יש מלבד כישלון?

בארט דה־בר

מחיי היומיום והלאה הכלים מתרוקנים מתוכנם, מריקונם הם נעשים, ומהיעשותם ייתכן דימוי הטוהר. מהקיארוסקורו של חיי היומיום בא האור, מהאור מוטלת המערה, ומשם והלאה ייתכן המקור.

מושג המוזיאון הוא הבְניה אידיאליסטית, אוטופיה הנאבקת להיעשות ממשית. הוא מאגד את האובייקטים,

5 >

ובייחוד את הצופים, במסגרת האמונה שבבסיסו: שזה המקום הטוב ביותר שבו עשויים האובייקטים להימצא. קנקן הקפה הערבי מוטמר[1] מקיומו העובדתי ככלי המתחמם מדי פעם; ציור־המזבח מוּצא מהאפלה היחסית שבה הוא שרוי ומקבל נראוּת כהבְניה אסתטית עם מסגרות ייחוס איקונוגראפיות משמעותיות; הציור של אסכולה א׳ מיישר קו עם הציור של אווירה 43. עבודות אמנות, התלויות בדיוק בנקודה שעבורה תוכננו, מציעות גישה מובנת מאליה, שעל פיה הצופה המקרי, ההקשר והעבודה אמורים להיבלע אלה באלה. המוזיאון, בתיפקודו הרצוי, הוא מצב ביניים שמעבר לחוויית היומיום. הוא מבוסס על פוטנציאל: זה וזה וזה, אם יקבלו תנאים אחרים (למשל, יותר זמן ממה שמציע מבנה־הצביר של המוזיאון הנתון), יתגלו כבעלי משמעות עמוקה. נכון שלפעמים מצליחים להגיע לאותו מישור־משמעות גם בתוך המוזיאון - אבל במרבית המקרים הדבר מתאפשר רק כתוצאה מאובדן ההקשר, מכך שהצופה נשבה בתצפיותיו, מאבד את תחושת הריחוק, ובאובדן זה של ריחוק מאבד גם את המוזיאון.

מה כבר יש מלבד כישלון? ברגע הראשון נדמה שמחשבה כזו אינה הולמת את מושג המוזיאון, אבל

כישלון הוא מהות שהכל חדור בה. וודאי שכך הדבר במקרה של נקודות מבט המצרינות את התשוקה, את ההשתחררות מסדר, לכלל דממה נהדרה, תוך יצירת דימויים מסדר גבוה יותר - דימויים שנוצרים באמצעות מתיחתה של אותה תשוקה לכלל מתח בלתי נסבל, דימויים המאפשרים לתשוקה להתממש במתח שבינה לבין הממשי.

מוזיאונים נכשלים בדרך מדהימה ביותר. הם מניחים קנקני קפה ערביים יפהפיים מאחורי זכוכית, כדי שיסתכלו עליהם. הם עורמים חפצים הזקוקים לזמן ולחלל ולשימוש, כך שהם נעשים בלתי שמישים לחלוטין. הם מחליפים את העוצמה שבמבנים מורכבים - סיפורים, מחשבות, תפיסות־עולם - במכנה משותף שאינו אלא אב חורג לאנרגיות שהולידו אותם (אנרגיה אמנותית צומחת מתוך ספציפיות, ולא במסגרת האמנות). הם מחזיקים את הפוטנציאל שבו הם מאמינים במצב מתמשך של פוטנציאליות בלבד. ובהיותם מוסדות, תמיד רובץ עליהם האיום שבעתיד יאבדו אפילו את עקבותיו של אותו פוטנציאל.

המלה "כישלון" מעוררת במוזיאון צמרמורת, בגלל הפונקציה שלו. המוזיאון הוא במהותו צורת קיום של סדר, של התגברות על הסתירות הבלתי ניתנות ליישוב בין איכויות שונות. לכן, מעצם טבעו, הוא נוטה לסרב לכל מה שנתפס כלא־תואם. כתוצאה מכך הוא עוין כל דבר המצוי על סף ההתהוות, מכיוון ש"כשלונם" של דברים אלה הוא הצל המטיל אור על אופיה המהוגן של הצורה. התפיסה זקוקה לזמן כדי להעריך את הערבוביה הזאת. ברגע הראשון היא רואה רק חריגות. באורח בלתי נמנע במסגרת אידיאליסטית, ההווה הוא הראשון שעובר דמוניזציה.

אילו יכולנו לקבל כישלון כמובן־מאליו (מדובר בלא יותר מהיסט מנטאלי), יעדים אחרים היו נכנסים לטווח ההשגה. אז היה אפשר לשאוף ליחס עמוק בין דברים שאינם יכולים להתמזג בשום מקרה - יחס המבוסס על ריבוי של יחסים, שאף לא אחד מהם ממומש בשלמותו - במקום לבחור במספר מוגבל של התְוויות המכוננות עקרונות ארגון וטוענות לקדימות ולשליטה. ייתכן שהיה אפשר לתת לדברים לזרום אלה לתוך אלה, לגלות כיצד הזרימה של הצעה אחת לתוך האחרת מנסחת היבטים שהדעת לא היתה נתונה להם קודם לכן. ייתכן שהיה אפשר לטפל בדברים בלי להזדקק אף לאחת מטכניקות ההבלטה הסביבתיות: המסגרת, הבסיס, הרִיק, ההעמדה במרכז, האיגרוף, ההגדלה האופטית. ייתכן שהיה אפשר להכיל מחוות שנדמה כי מטבען הן חסרות את העמידות הנדרשת כדי להגיע לקהל הרחב לו מייחלים אנשי האמנות. ייתכן שהיה אפשר לדַמות כל חפץ אמנות במוזיאון כאובדן, שהיבטים שונים עשויים להגיח מתוכו לרגעים או לפחות להבליח בינות לצללים של אופני התצוגה. ייתכן שהיה אפשר - אחרי התפוגגותה של התקשורת הנמרצת, המטעימה בתדריה את המוזיאון כולו - להתעשר בחוויות ספציפיות המיועדות לאנשים

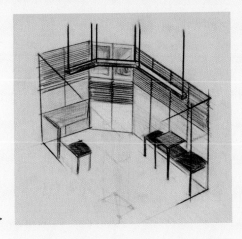

ספציפיים, כמטרה, במקום ההכללה המקודמת ברוב המקרים כמסר שווה לכל נפש. ייתכן שהיה אפשר לחיות וליהנות מאי־האפשרות להשלים דברים, להפוך את העולם־מוזיאון לאתגר מתמשך, שבו גובהו של אובייקט, האור המוטל עליו, מסגרת המחשבות המארגנת אותו - כל אלה יהיו שם כבחירה זמנית, המתמסרת לרצינותו בהיותה פתוחה לשינוי.

רעיון הכישלון עשוי להתגלות כמכשיר פשוט אך אפקטיבי בכל מוזיאון, לא רק כהרהור סביל על תכליתן של מטרותיו המהותיות ועל מידת עיוותן ודחיקתן הצדה על־ידי אילוצים של הישרדות - אלא גם כמפלסת קרח הפותחת דרך לפעולה. על־ידי כך שיתייחס לכישלון כמה שהוא אמור להיות, המוזיאון עשוי לשים קץ לעצמו ומתוך כך להמשיך להתקיים. בשביל המוזיאון, קבלת הכישלון כנתון מרכזי דומה להעדפתה של ברירת השיחה על פני ברירת הוויכוח. תרחישים רבים ילכו אמנם לאיבוד, אבל אחרים יופיעו במקומם.

סדרת תערוכות זו במוזיאון ישראל היא כמו נווה־מדבר של נוכחות. כאשר תערוכות מעין אלה מתקבלות במוזיאון כמו זה, התנגשות מעניינת עולה אל פני השטח. בגלל מיקומן בביתן בילי רוז - ספיח של המבנה הראשי - מעמדן לא ברור. האם מדובר בהתחייבות או בניסוי? האם זו תצוגה שולית או תכנון תת־קרקעי של מוזיאון העתיד? בכל מקרה, יש כאן

שהן עסוקות בהתרחשות, בהרמוניה, הן לא מתפנות לכשלונו הספציפי של המוזיאון. הן תופסות את הצעתן כיחסית (בעצם בהיותה שונה ממה שכבר נכון על מקומו) - ובכל זאת כהכרחית. הן נסחפות בהתפתחותן וממזגות בכך את האפשרויות הטמונות בעתיד ואת תודעת העבר; ומכיוון שהעתיד לא הגיע עדיין, הרי שהן פתוחות לשינוי.

7 >

יותר מדלת: כדי להיכנס לביתן צריך לחצות גבול. אווירת המוזיאון מושלת, ואווירה חדשה נטעמת ואמורה לקבל תוקף. ועדיין, לא רק שלא ברור כיצד שני העולמות האלה מתַקשרים זה עם זה - אלא שלא ברור אם ביכולתם לתַקשר בכלל.

תערוכות אלה עוסקות ביחסים, אבל בדרך הרמונית. הן נמנעות מהבידוד המזהיר של תערוכת היחיד באמצעות בחירה בזוגות של אמנים, קבוצה בגודל המאפשר מזיגה לא מקרית של ברירות. בהימנעותן ממבנה חברתי־חללי המחייב התייחסות, תערוכות אלה מעמידות למוזיאון אתגר חדש בתכלית. בכך

יש באמנים המציגים בהן, וברבים מבני זמנם, משהו טבעי עד כדי אִיום, שבגינו הם נדמים כקשים לפיצוח. הם קרובים לחיי היומיום מפני שהם מציעים איכות עקבית ולא מצטברת, שאינה מתבחנת בנוכחותה, בצורה קטגורית, ממרקם הקירות למשל. במקום זאת הם יעדיפו לעסוק בהיבטים הסביבתיים הקרויים "בנאליים", להביא אותם בחשבון ובתוך כך להישאב לתוכם. את עבודתם אפשר לתאר גם במונחים של יצירות בודדות וגם כמיצבים. גם אם השתלשלותן בחלל מנוסחת היטב, כך שכל רכיב עשוי לעמוד כ"עבודת אמנות" קלאסית, לא לשם הם חותרים. מה שמעניין אותם כמו מתמהמה־מרחף באוויר.

המרכיבים השונים אינם עובדות קשות כשלעצמן. הם רק כלים - חומר, ממש כך - אך כאלה שכופרים במיצוק המשמעות שעלול להחפיצם. עליהם למצוא את השלמתם, ולא על־ידי צופה מופשט אלא על־ידי מבקר ממשי.

הם לא מאפשרים לפתח את הצעותיהם לכלל קביעות שעשויות להפוך לאמת־מידה, כפי שמרומז בכותרות של תערוכות כמו "אביבית" או "גררר". הכותרות הן רק שדה ייחוס, כמו ניחוח של חדר, תמריץ לעשיית דבר שונה, באורח שונה, במקום אחר; בהירותן נזהרת שלא להשתלט. הן לא מתקצרות כדי להפוך לאגרוף־מחץ הניצב מול אחרויות או אפילו מול רִיק ותובע לעצמו מעמד־על. גבולותיהן מוגדרים בכיוונון עדין, ופגיעות זו היא אחד מנכסיהן.

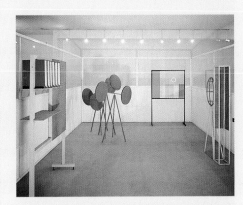

< 8

בשנה שעברה כתבתי מאמר שהתכוון בעיקר לסמן את חופי כותרתו, "Modes and Moods" ["מצגים ומזגים"]. הכותרת ניצבת שם עדיין בבדידות מזהרת: כיצד אפשר למלל במונחים מכלילים היבטים שמטבעם מסרבים לכל קטגוריזציה, היבטים המתגלים באמת רק בתהליך של התנסות משותפת?

מחיי היומיום והלאה הכלים מתרוקנים מתוכנם, מריקונם הם נעשים, ומהיעשותם ייתכן דימוי הטוהר. מהקיארוסקורו של חיי היומיום בא האור, מהאור מוטלת המערה, ומשם והלאה ייתכן המקור.

תערוכות אלה הן נווה־מדבר של נוכחות מפני שעניינן הוא התנסות, ולמוזיאון הן מציעות להצטרף אליהן. המוזיאון עשוי להרחיב את ההצעה ולקפוץ על ההזדמנות שנפלה לידיו לבחון את עצמו, ביחס אליהן, במונחים של כישלון (גם אם התערוכות עצמן לא מעוניינות בכישלון).

פרויקטים כמו אלה מעמידים למוזיאון אתגר: למתוח את עצמו עד לקו שלהם, לארגן את תודעתו מחדש תוך התפרקות מנטל הכוח שצבר לעצמו, כך שטבעו האידיאליסטי ישמר או יעורר את רעננותה של תשוקת הקירבה המאפיינת את ראשיתן של תולדות־האמנות, תקופת העידון והתבניות הגמישות. אווה מאייר התוותה בשנה שעברה קו שממנו אפשר להתחיל, בכל פעם מחדש: "עכשיו אני די בטוחה שאם דבר חי - אז באמת אין כל הבדל בין בהירות לבלבול".[2] זה עשוי להיות מפחיד, או משמח, או שניהם גם יחד.

הערות

1 "מוטמר" מהווה כאן תרגום ל־transcended, מלשון טמיר (גבוה, נעלה, ובהשלכה - מאוחר, מתקדם) ובהיפוך אותיות למוטרם, מלשון טרם (קודם) [הערת המתרגמת].

2 מתוך "A Matter of Folds" ["דברי קפלים"], טקסט שקראה אווה מאייר ב"זו התערוכה והתערוכה היא דברים רבים" - תערוכה שאצרתי ב־1994 במוזיאון לאמנות עכשווית, גנט, בלגיה [ב.ב.].

מאנגלית: דפנה רז

"אביבית", 1996-2000

אוהד מרומי בשיחה עם דוד פיש

"אביבית". למה בחרתם בשם כזה?

"אביבית", כמו דברים אחרים בתערוכה, הוא דבר שאל התוכן שלו אנחנו מגיעים מבחוץ. לפני שאנחנו באים לייצג באמצעות המלה - אנחנו מתייחסים למשקע שלה, מקשיבים לקונוטציות הרחוקות, למאפייני השייכות שלה. אחר כך בא הציווי הישיר של השם. מלה כמו "אביבית" באה מרובד חורק של השפה, מעברית שהמקור שלה בפליירים של פרסום. משך אותנו הקלקול הזה בקונוטציה החיובית של המלה המקורית "אביב", שמקבלת את סיומת הנקבה על משקל מוצרים של התעשייה המקומית הזעירה: מגבונית, אסלונית, בידורית, דיבורית. זה שם צולע, שהוצמד לחפץ שמבקש להיות אובייקט אך לא מוצא עדיין את מקומו ככזה, ובכך הוא שומר על ההקשר המעוות של העברית החדשה, הציונית. הזיקה הזאת קיימת גם כשהמקור הגאה והגבוה של העברית המתחדשת עובר סירוס. הטון הזה של המאולצות, האופטימיות הלוחצת, חזות הקידמה הזעירה, הקלקול האימננטי של השפה, הרובד של יצירי הכלאיים האלה של העברית העכשווית - מייצגים את המצב התרבותי הרחב של מציאות הקלקול האימננטי, ואת הטמטום האופטימי שמאפשר ליהנות מהמצב הזה. כל הדבר הזה מתגלם באסתטיקה עשירה מאוד, כשמביטים מהזווית הזאת. במקום הזה רצינו לעסוק בתערוכה. זה היה הרגע של "אביבית".

9 >

את הדברים האלה ניסחתם לעצמכם באותו רגע?

פחות או יותר. זה היה רגע יפה מאוד של דיאלוג. מצאנו זווית להביט ממנה על הדברים סביבנו, והיא הטעינה הכל מחדש והפכה את הסביבה הישראלית

לעשירה מאוד. חיפשנו זווית שמתעקשת לקרוא את הקקופוניות המקומיות (על צורותיהן השונות) כשפה, וללמוד ממנה. ניתחנו יחד הרבה תופעות. בזמנו נראה לנו חשוב להביא את זה למוזיאון - את המצב הזה של הדימויים, את הגולמיות הזאת. פחות התעניינו בייצוגים ויותר בגולמיות עצמה. אבנר הגיע באווירה הרבה יותר ניהיליסטית ממני. התחלנו מרגע שבו נדמה היה שאנחנו הולכים במסלולי עשייה שונים מאוד: אני הייתי שבוי בהשפעתם של כמה רגעים במודרניזם האירופי, וחיפשתי מנגנונים תיאורטיים מסורבלים כדי לעסוק באפשרות הקידמה באמנות. דרך המבט על החומרים המקומיים נולד אצלי עניין גדול בקלקול של המודרנה. נהייתי צרכן נלהב של מודרנה מקולקלת.

< 10

כאן היה המפגש עם אבנר, שהגיע כאמור עם עולם השפעות "עממי" יותר ומבחינתי גם אמיץ יותר. אבנר דיבר על תיאטרון החמאס, למשל, על המְחזות הפיגועים הפרוביזוריות שלהם ועל האפקטיביות של זה. העניין הוא האפשרות לייצר דימוי נמוך וטורד מתוך המצב שבו הרגשנו שאנחנו מצויים - מצב שבו דימויים כמעט לא משפיעים אם הם לא בהפגזה, וגם אז, הטכנולוגיה עצמה היא הדבר האפקטיבי. היה לנו מניפסט כזה על שיטות ביתיות ("דוגמה 95" מדברים בכיוון הזה). חייב להיות שם משהו שיכול למלא את החלל של ההפגזה הטכנולוגית. אצל אבנר זו היתה התחלת העיסוק בטרור ובאלימות חזותית, כמו בפורנוגראפיה ובאסתטיקה הימנית (בתערוכה אבנר השתמש בדימוי של שוקו אוסהארה - המנהיג הכלוא של כת "האמת הצרופה", ששיחררה גז עצבים ברכבת התחתית של טוקיו).

העולמות האלה הם מקור לבני־כלאיים חזותיים ולשוניים שאליהם אני התחברתי, מכיוון אחר. אני הגעתי מחשיבה על ארכיטקטורה, כמדיום עתידני בבסיסו, וממבני חשיבה ארכיטקטוניים. בארכיטקטורה מתקיים דיון של אחריות חברתית לצד נטייה לניתוח מערכות. זה מתבטא גם באופן אסתטי. אני לא ממש יודע אם זו אכן צורת החשיבה של ארכיטקט - אבל כך הבנתי אז את אזור הפעולה שלי וחשבתי שאם הארכיטקטורה לא היתה מסוכנת כל כך כפראקטיקה, היתי פועל בהמשך במרחב הציבורי האמיתי. כאן, ב"אביבית", התמקדתי בהיבטים של השיח הארכיטקטוני כמדיום של תקשורת וכמודל רעיוני, בקנה־מידה של 1:1 (גם ההיבט הזה בעבודה שלי התפתח אחר כך). כנקודת־מוצא החלטנו להקים עבודה משותפת מרכזית - אביבית - ועוד שורה של פרויקטים, פחות סדורים מבחינה רעיונית, בפריפריה שלה.

איך אתה מביט על הדברים האלה היום?

תראה, מבחינתי זה היה רגע חשוב מאוד, עם הרבה עיוורון לגבי אופי המוסד והמערכת שבתוכם ניסינו להפעיל את הדבר הזה. הרגע הזה הוביל גם להרבה התפכחויות אצל שנינו. העניין שלנו במצב המקולקל של השפה, של העולם, בציר המתח בין בריאות וחולי, בגולמי שאינו טבעי ואינו רהוט - במלים אחרות, במצב של הפוטנציאל האינסופי - כל זה השאיר אותנו בטריטוריה שהסתברה כלא תקשורתית במיוחד, ובכל מקרה זה לא היה מה שמצופה מאנשים צעירים ועליזים שנכנסים למוסד מוזיאלי כבד־ראש. לפעמים עיסוק באוטיזם נקרא כאוטיזם, ודיבור על כשל תקשורתי נכשל ככזה (מה גם שרצינו לשמור על מודוס של מה שכינינו "אווירה משרדית", והתוצאה היתה קור כללי). נדמה לי שיש ציפייה כזאת מאמנים צעירים, שיפעלו בתזזית אנרגטית - והעמימות שעלתה מהדברים שבחרנו להביא למוזיאון התקבלה בתימהון אדיש. אבנר, למשל, בנה קיר ענק של משטחי מתכת מחוררים של מערכות מידוף, ופיזר מאחור ניירות צבעוניים. השאלה שעלתה כל הזמן היתה מתי זה מתחיל להיות משהו, מתי זה חורג מקיום כבסיס למשהו אחר. מבחינתו זו היתה העבודה הגמורה. הוא רצה להשאיר את הוואקום בחלל ולא למלא אותו בדימויים כדי שיהיה נוח. לחדד את החריקה. הוא מילא את החלל בחומרים ולאט לאט הוציא אותם, עד שכמעט לא נשאר דבר והחלל חזר להיות כמעט ריק ומאיים. מה שנשאר התנהג כמו

צמחייה עירונית עיקשת אבל חסרת הוד. היתה שם הדמות של הנער השחור, המוגבל, זה ששרית קראה לו "קשה התפיסה". הוא היה כמו הטיפוס שתקוע במצב הזה של השפה, האסיר של הגולמיות העילגת.

< 11

והעבודות שלך, איך הן מתקשרות למצב העילג שעליו אתה מדבר?

כבר אז היה פרויקט התיעוד של וילות בפרברי תל־אביב כבני כלאיים. הוצגה סדרה של 16 תצלומים שנופו מתוך 300. ההתאהבות באיזראליאנה האורבאנית והעבודה הצילומית בהקשר הזה בארץ התפתחו מאוד מאז, עד לשיא שניכר לאחרונה בתערוכות כמו "מראית אַיִן" [אוצרת: שרית שפירא, מוזיאון ישראל, ירושלים, 1999] ו"הפרויקט הישראלי" [אוצר: צבי אפרת, מוזיאון תל־אביב לאמנות, 2001]. בזמנו זה התקבל יותר כעיסוק ביומיומי, בסתמי, והרוב הגדול החמיץ בדיוק את ההיבט הזה - הפוטנציאל האדיר שטמון בוורנקולר האורבאני המקומי, היכולת לקרוא את השפה במצב הדפוק שלה, המושחת, ההיברידי. היום כבר בנאלי לדבר על זה.

חוץ מזה היה גם מתווה לבלט סוציאליסטי, שביקש להיות פשוט בלט סוציאליסטי - התחברות לאסתטיקה הישנה והטובה של העבודה. גם זה קשור למודרנה בכלל ולהקשרים מקומיים ופרטיים הכרוכים ברקע של תנועת העבודה. עיצבתי שלושה מבנים גיאומטריים, שהניפו בין רגליהם זרוע של מתקן קידוח מוקטן. זה קשור גם להשפעה של צבי גולדשטיין על העבודה שלי - אבל בהסטה, שכן המתקנים סירבו לציית לזרימה של התנועה הקצובה, כפי שאמור לקרות בז'אנר המקורי. רציתי לבנות אסתטיקה של מכונה מקרטעת אבל פועלת, פאתוס של מצעד נכים. על הפביליון שבניתי במרכז כתב מבקר זועם אחד שהוא נראה כמו משתנה ציבורית בתל־אביב. זו הגדרה לא רעה מבחינתי, אלא שלא הבנתי מה הופך את זה לשלילי.

אתה יכול להגיד משהו על אביבית, העבודה המשותפת?

אביבית היתה הרגע הפתוח יותר. יצירת האקס־טריטוריה בתוך המוזיאון איפשרה חוקיות אחרת של עבודה - וגם משחק התפקידים שלקחנו על עצמנו, שאיפשר פעולה אחד נגד השני, היה מעניין. אם אני עיצבתי סביבה פסוודו־פונקציונאלית "מחנכת" - אבנר הגיע עם אלמנטים עממיים, כמו אובייקטים של קיטש חם וציור ילדי שנתלה בתאי עבודה משרדיים. הסכימה היתה של ניסיון להפוך חלל מציבורי לפרטי. אבנר הביא לשם מגאפון, ששימש במקור לצעקות מהחלון אל אנשים ברחוב, לשליטה על החוץ מתוך האקס־טריטוריה הזאת. החלל כולו נוצר כחלל שמשנה את ייעודו, כמו בסיטואציה של סגירת מרפסת או של חדר שהופך למשרד ולהיפך. זה היה המצב שחיפשנו, מצב של היפתחות למרחב.

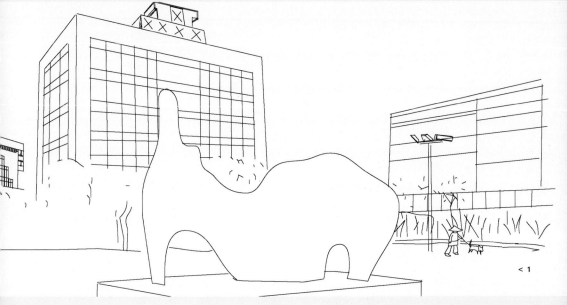

< 1

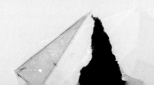

אוהד מרומי

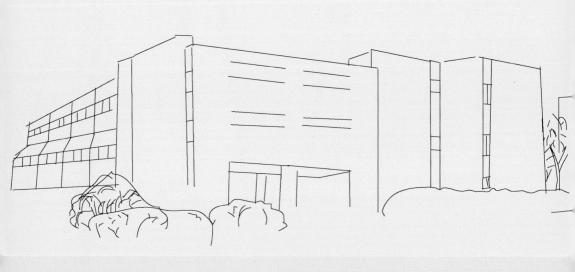

Ohad Meromi

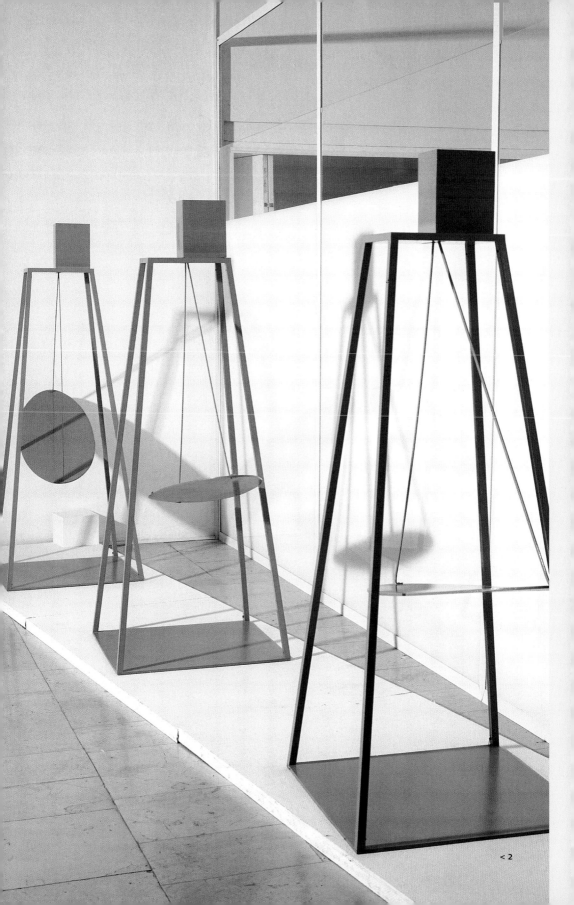

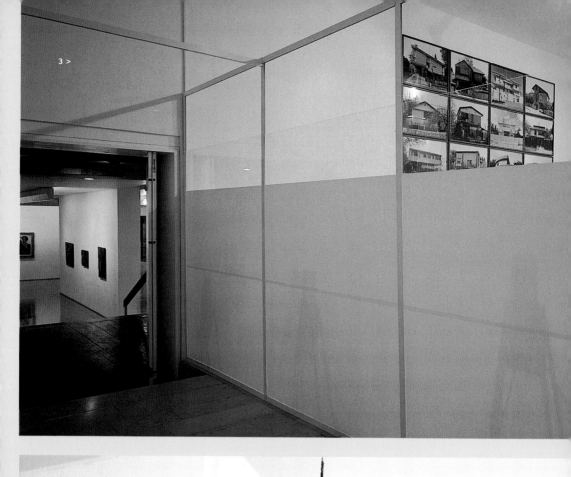

3 >

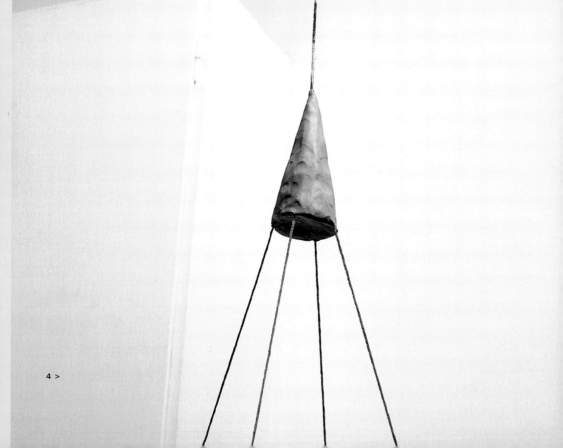

4 >

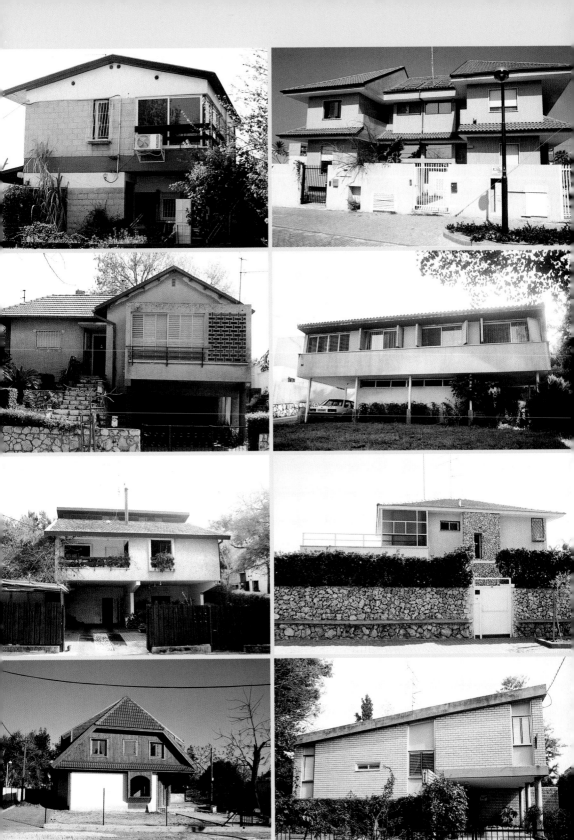

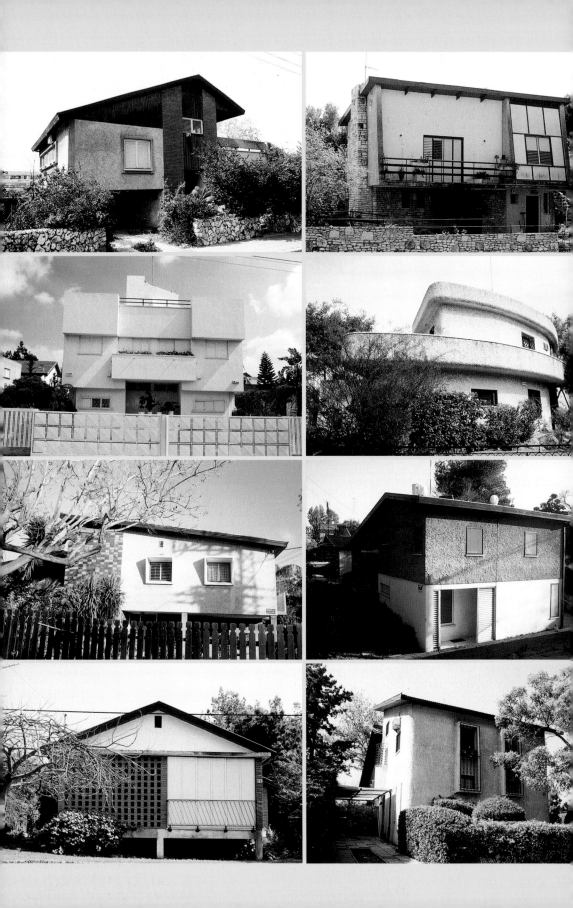

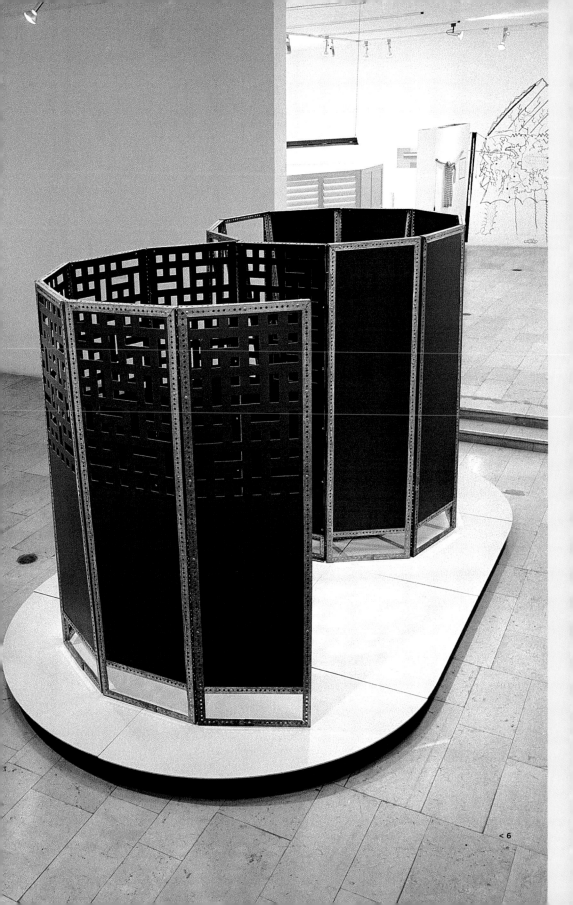

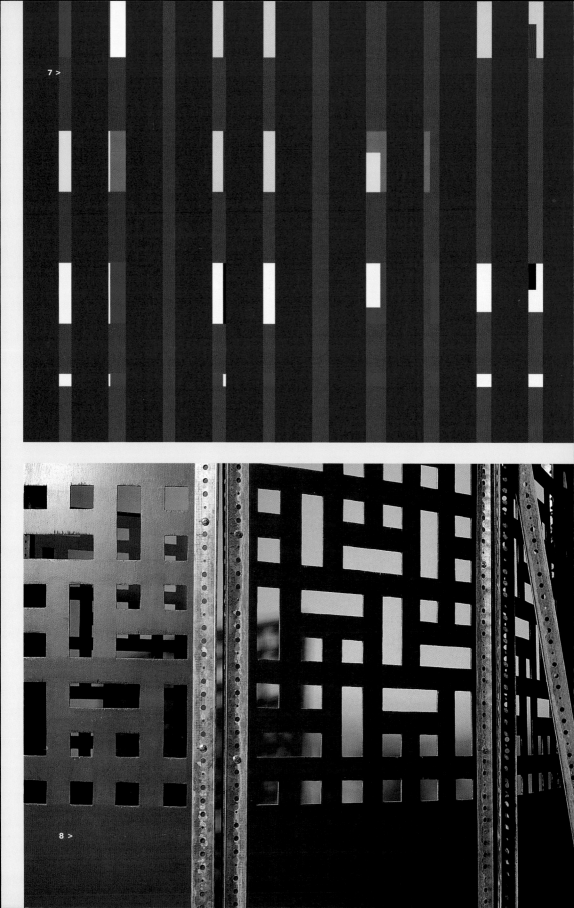

7 >

8 >

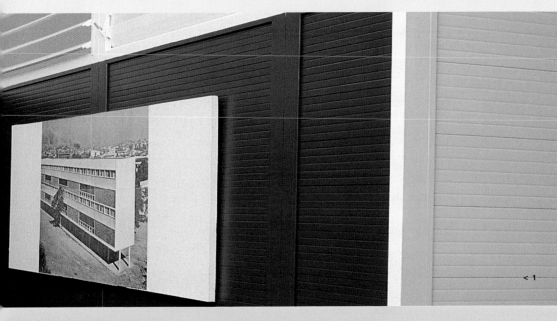

1 >

פרויקט משותף
אביבית

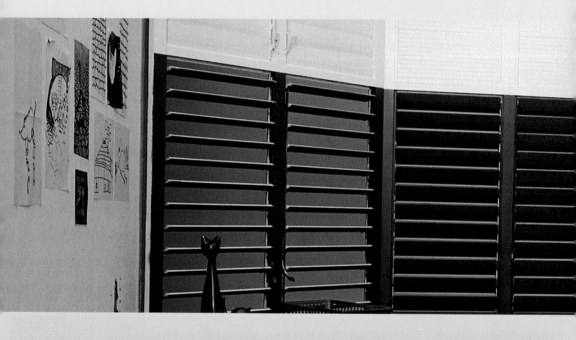

A v i v i t
Joint Project

אומרים לנו שאנו חיים בעידן המחשבים ושניתן להסתייע בהם בשטחים רבים. אולם פה יידונו לא כל כך הדרכים שמוסדות מסוגלים להזדקק להם, כי אם בעיקר האמצעים הפשוטים היכולים להימצא בידי כל פרט (גם מבחינת ההוצאות הכרוכות בהשגתם ובהפעלתם).

מתקבל אפוא על הדעת שרוב־רובם של האמצעים הללו מוכרים היטב לכל אחד ואחד. מבדיקת הספרות המקצועית ומביקורים בחברות העוסקות בציוד משרדי, מסתבר שלגבי אותם אמצעים בסיסיים אין כמעט חידושים. המכריע כאן הוא התאמת כל אמצעי ואמצעי למטרה ספציפית וצירוף נכון ביניהם. אם נראה את הדברים כך, ניווכח שאין מודעות מספקת לאפשרויות הטמונות באמצעים אלה ואין מעריכים למדי את שלל הקומבינציות ביניהם, קומבינציות שיש בהן כדי להגביר את יעילותם של האמצעים.

השכם והערב נשמעת ברדיו הסיסמה: "תן לאצבעות ללכת במקומך!" מטרתנו היא לתת לעיניים ללכת הליכה מכנית במקום להזדקק לתהליכי הבחנה, בירור ומיון מודעים (במקרה הקיצוני אנו נתבעים, במקום הליכה מכנית, לקרוא משהו ולהחליט אם אותו פריט מתאים לצרכינו או לאו). רצוי אפוא להגיע למצב שבו נוכל לשלוף את הדרוש לנו על פי סימנים חיצוניים בולטים.

סדרה זו עוסקת בשטחים מספר: קריאה, כתיבה, כתיב, אוצר־מלים, מתמטיקה ומיומנות למידה. בהקשר שלנו לא הכל מעניין במידה שווה, אך שמור כאן עושר גדול. משולבים פה סרטי הדרכה, מבחנים, תקליטים קטנים ועוד.

כאמור, לא נעסוק במחשבים כי אם בשיטות "ביתיות". יש המכנים את השיטות שנדון בהן להלן "איי.בי.אם. של עניים".

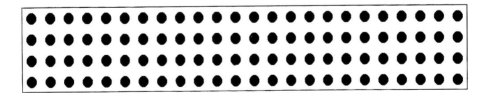

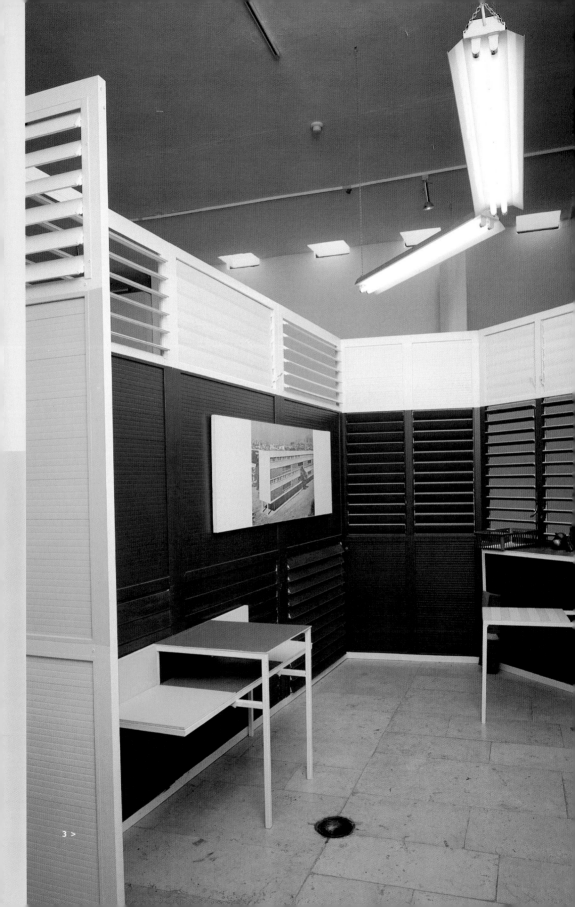

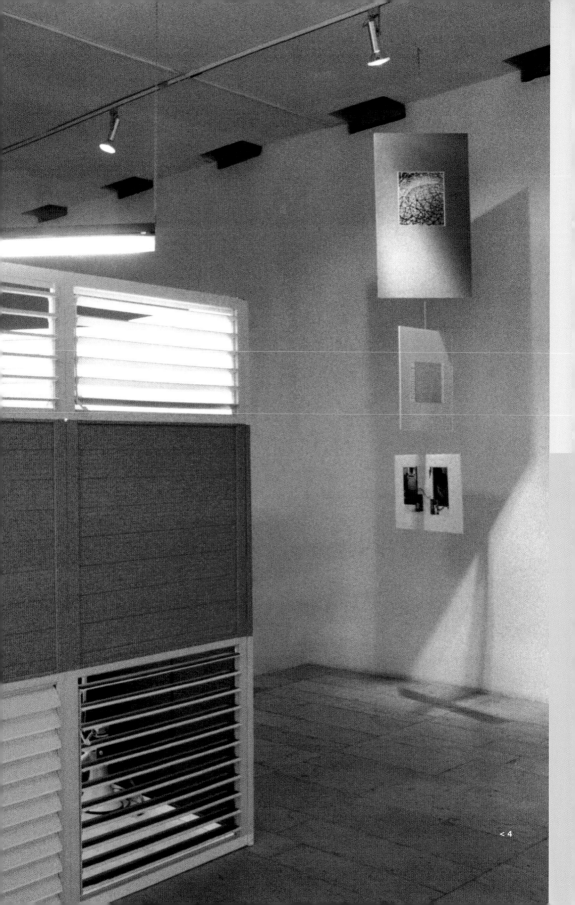

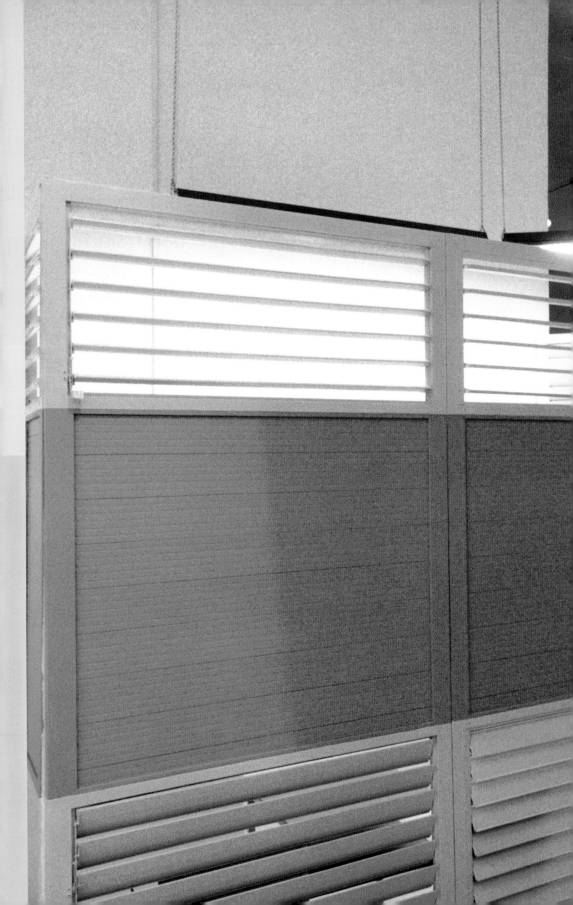

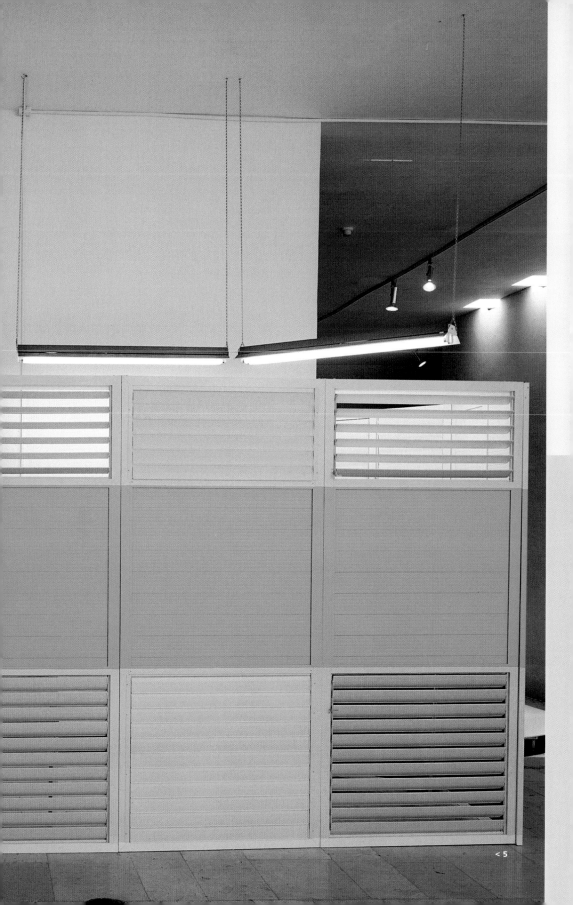

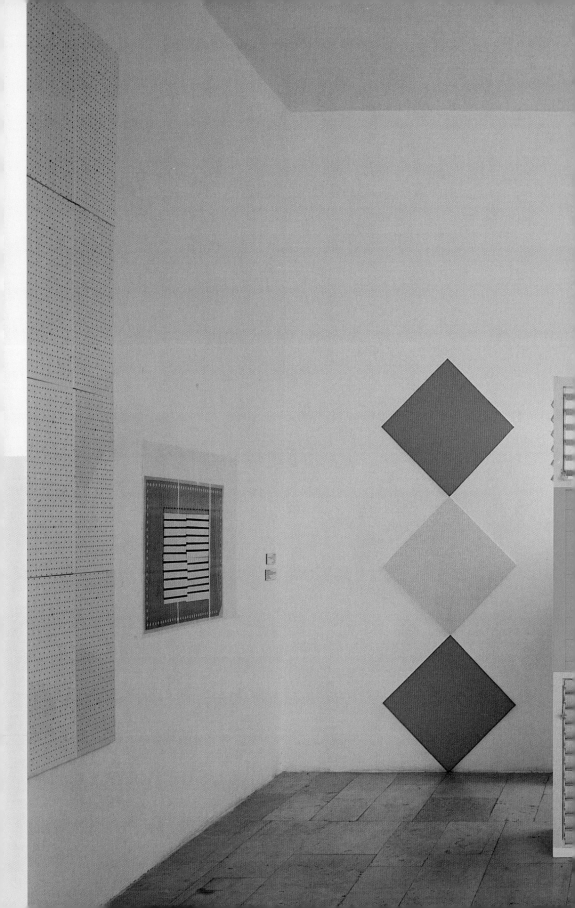

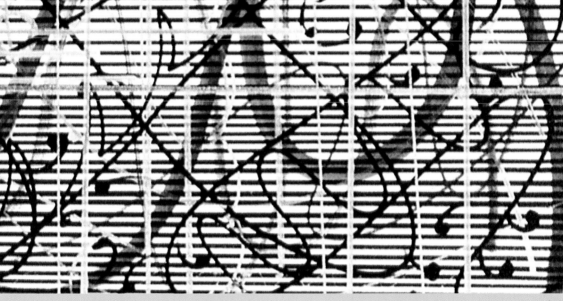

אבנר (ג'יימס) בן - גל

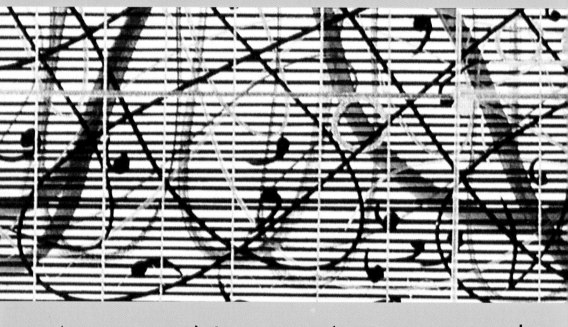

Avner (James) Ben-Gal

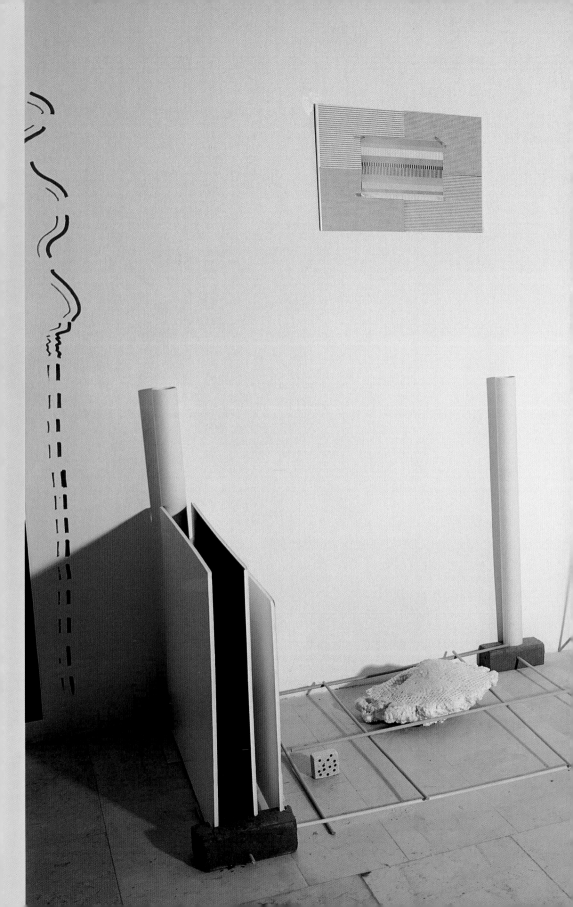

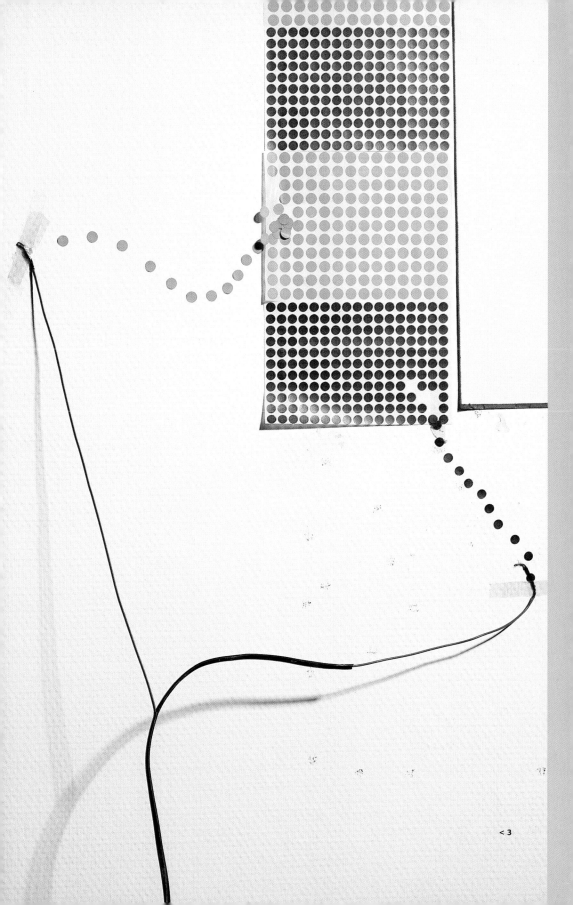

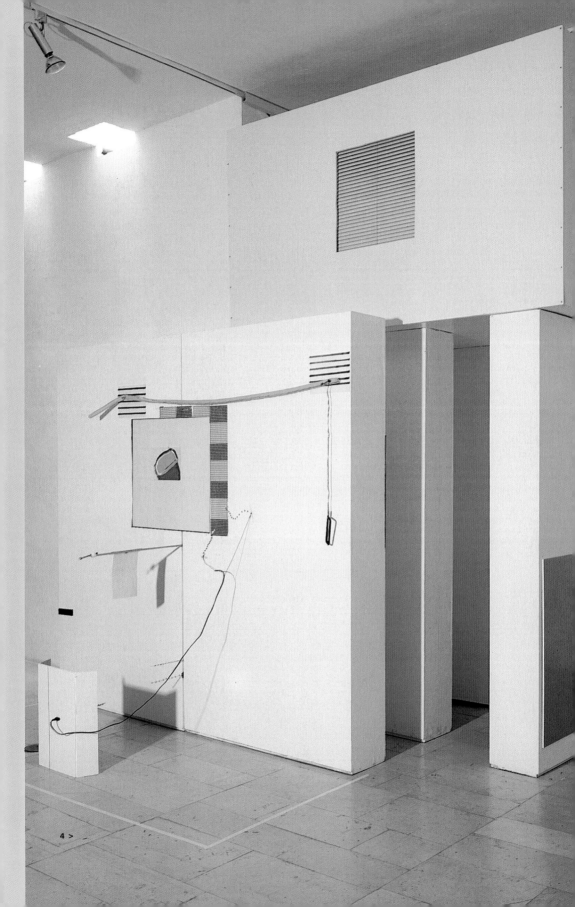

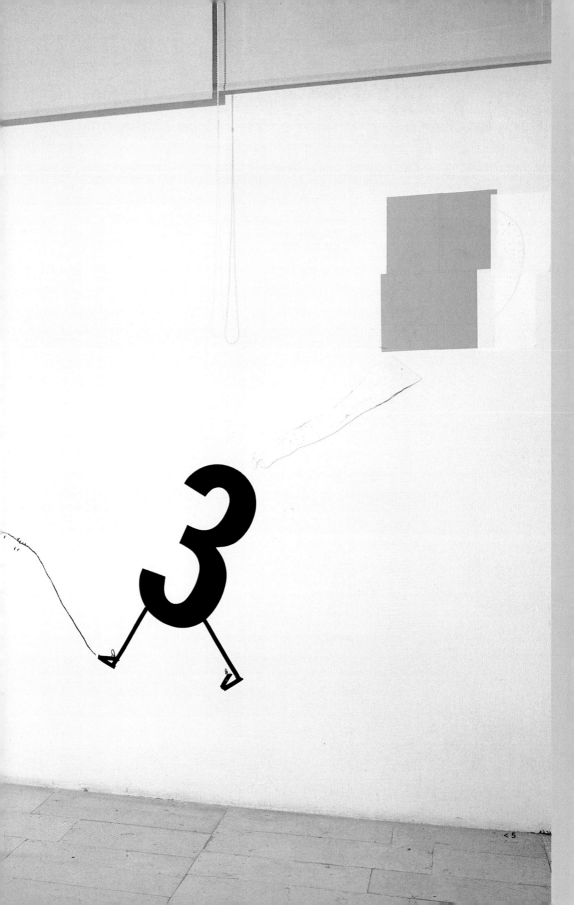

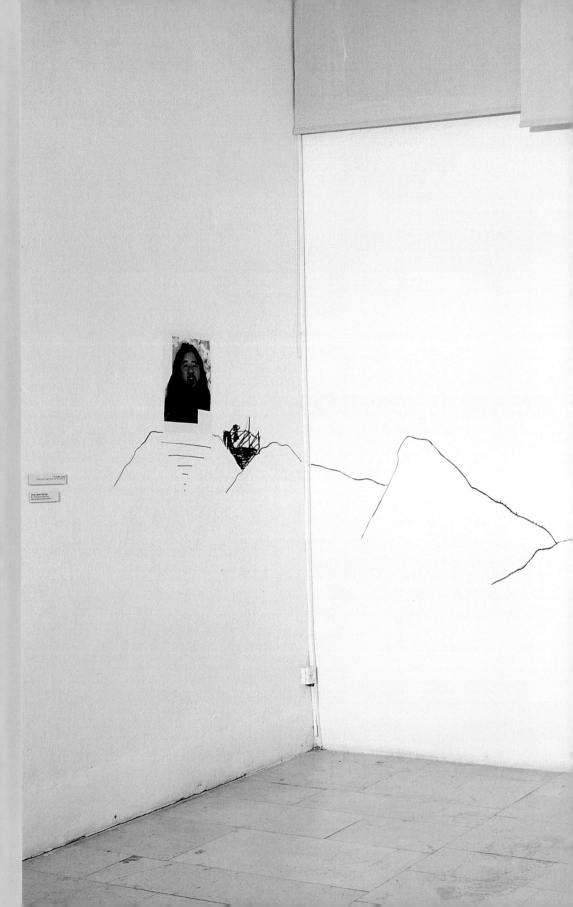

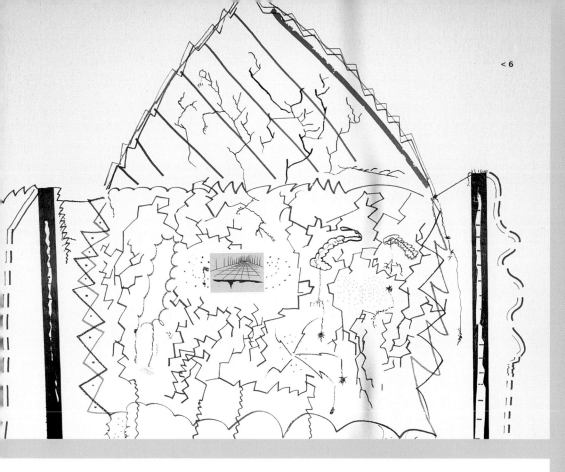

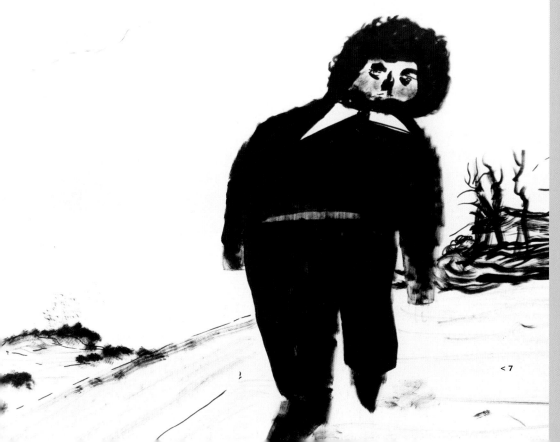

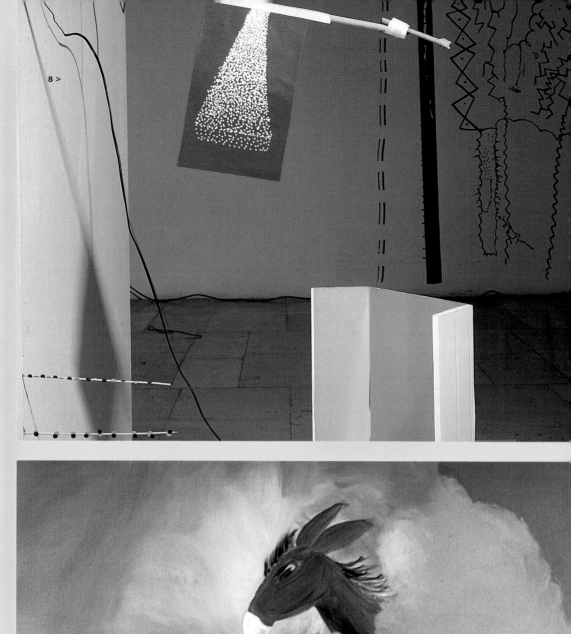

8 >

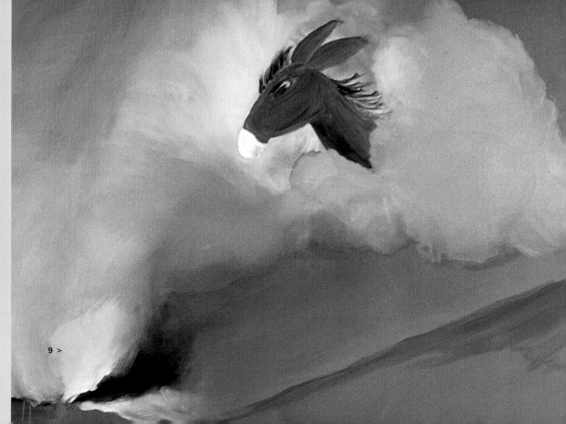

9 >

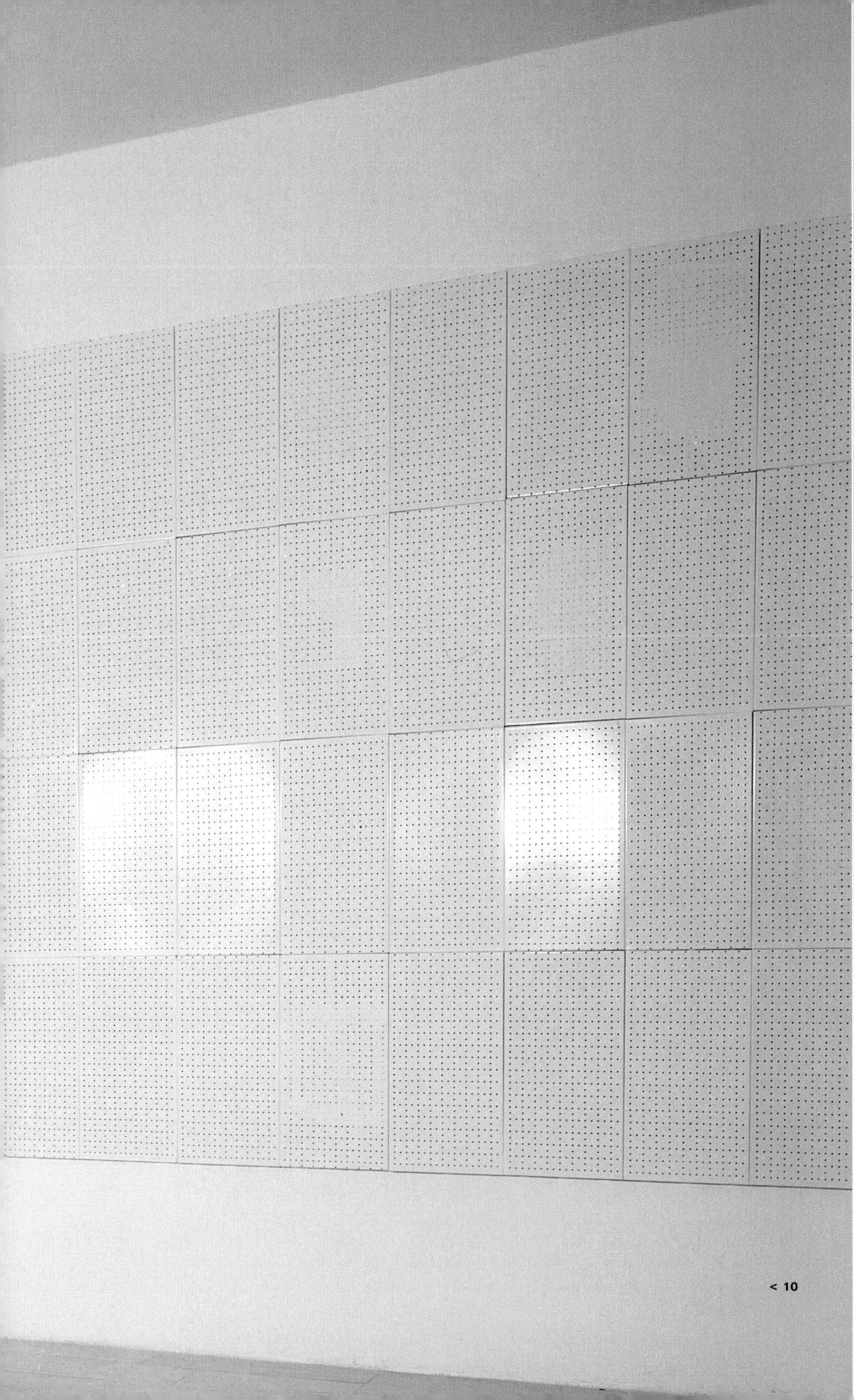

< 10

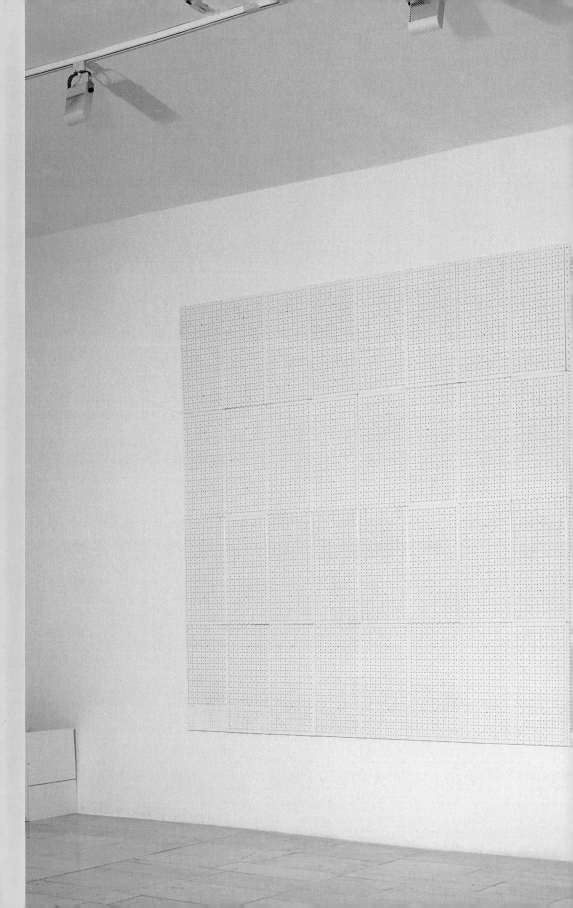